D1159449

"People with ADHD often have a special feel for life, a way of seeing right into the heart of matters, while others have to reason their way methodically."

Dr. Edward M. Hallowell

| WEEK 1 | | WEEK 2 | | WEEK 3 | | WEEK 4 | |

| JAN | FEB | MAR | APR | MAY | JUN | JUL | AUG | SEP | OCT | NOV | DEC |

WEEK FOCUS

THIS WEEK PRIORITIES

1.

2.

3.

MON		
TUE		**NOTES**
WED		
THU		
FRI		
SAT		**INSPIRATION**
SUN		

| MON | TUE | WED | THU | FRI | SAT | SUN |

| JAN | FEB | MAR | APR | MAY | JUN | JUL | AUG | SEP | OCT | NOV | DEC |

1 2 3 4 5 6 7 8 9 10 11 12 13 14 15 16 17 18 19 20 21 22 23 24 25 26 27 28 30 31

MOOD

TODAY FOCUS

ENERGY

TOP PRIORITIES

1.

2.

3.

DO IMMEDIATELY	DO LATER	DELEGATE

TIME	TASK TO DO	+/-

NOTES

TODAY I AM GRATEFUL FOR

PRODUCTIVITY

☆ ☆ ☆ ☆ ☆

MON	TUE	WED	THU	FRI	SAT	SUN

JAN	FEB	MAR	APR	MAY	JUN	JUL	AUG	SEP	OCT	NOV	DEC

1 2 3 4 5 6 7 8 9 10 11 12 13 14 15 16 17 18 19 20 21 22 23 24 25 26 27 28 30 31

MOOD

TODAY FOCUS

ENERGY

TOP PRIORITIES

1.

2.

3.

DO IMMEDIATELY	DO LATER	DELEGATE

TIME	TASK TO DO	+/-

NOTES

TODAY I AM GRATEFUL FOR

PRODUCTIVITY

☆ ☆ ☆ ☆ ☆

| MON | TUE | WED | THU | FRI | SAT | SUN |

| JAN | FEB | MAR | APR | MAY | JUN | JUL | AUG | SEP | OCT | NOV | DEC |

1 2 3 4 5 6 7 8 9 10 11 12 13 14 15 16 17 18 19 20 21 22 23 24 25 26 27 28 30 31

MOOD

TODAY FOCUS

ENERGY

TOP PRIORITIES

1.

2.

3.

DO IMMEDIATELY	DO LATER	DELEGATE

TIME	TASK TO DO	+/-

NOTES

TODAY I AM GRATEFUL FOR

PRODUCTIVITY

☆ ☆ ☆ ☆ ☆

MON	TUE	WED	THU	FRI	SAT	SUN

JAN	FEB	MAR	APR	MAY	JUN	JUL	AUG	SEP	OCT	NOV	DEC

1 2 3 4 5 6 7 8 9 10 11 12 13 14 15 16 17 18 19 20 21 22 23 24 25 26 27 28 30 31

MOOD

TODAY FOCUS

ENERGY ☐☐☐☐☐☐☐☐☐■

TOP PRIORITIES

1.

2.

3.

DO IMMEDIATELY	DO LATER	DELEGATE

TIME	TASK TO DO	+/-

NOTES

TODAY I AM GRATEFUL FOR

PRODUCTIVITY

☆ ☆ ☆ ☆ ☆

| MON | TUE | WED | THU | FRI | SAT | SUN |

| JAN | FEB | MAR | APR | MAY | JUN | JUL | AUG | SEP | OCT | NOV | DEC |

1 2 3 4 5 6 7 8 9 10 11 12 13 14 15 16 17 18 19 20 21 22 23 24 25 26 27 28 30 31

MOOD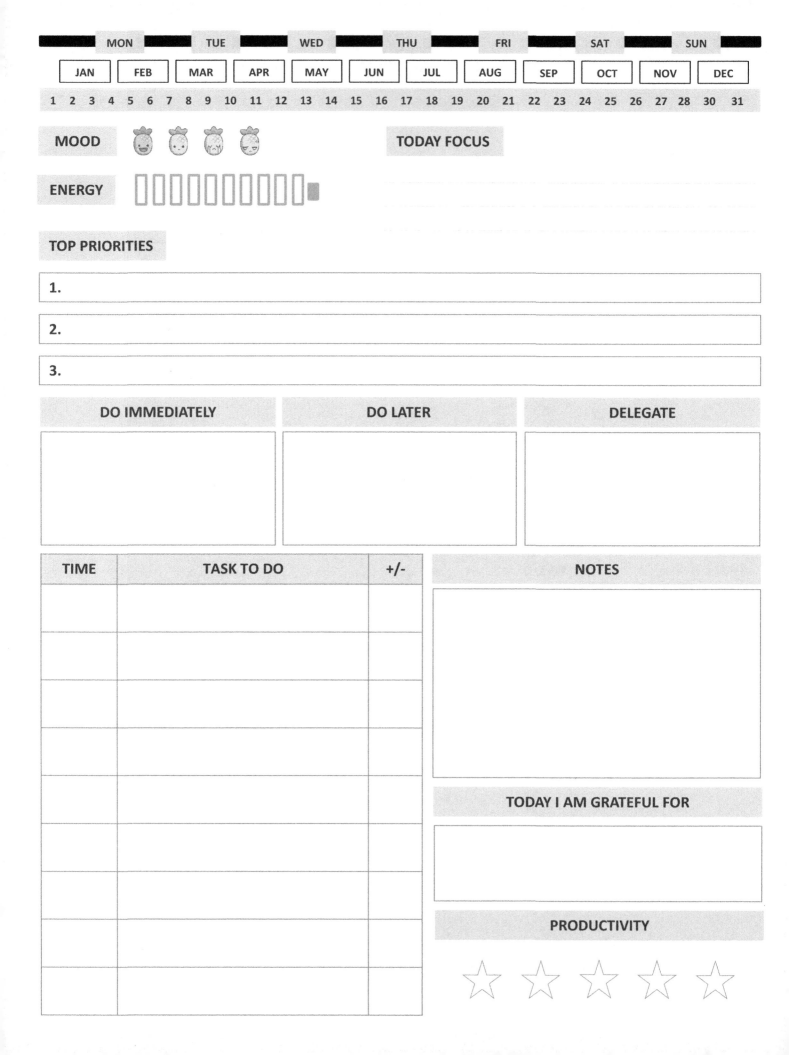

TODAY FOCUS

ENERGY

TOP PRIORITIES

1.

2.

3.

DO IMMEDIATELY	DO LATER	DELEGATE

TIME	TASK TO DO	+/-

NOTES

TODAY I AM GRATEFUL FOR

PRODUCTIVITY

☆ ☆ ☆ ☆ ☆

| MON | TUE | WED | THU | FRI | SAT | SUN |

| JAN | FEB | MAR | APR | MAY | JUN | JUL | AUG | SEP | OCT | NOV | DEC |

1 2 3 4 5 6 7 8 9 10 11 12 13 14 15 16 17 18 19 20 21 22 23 24 25 26 27 28 30 31

MOOD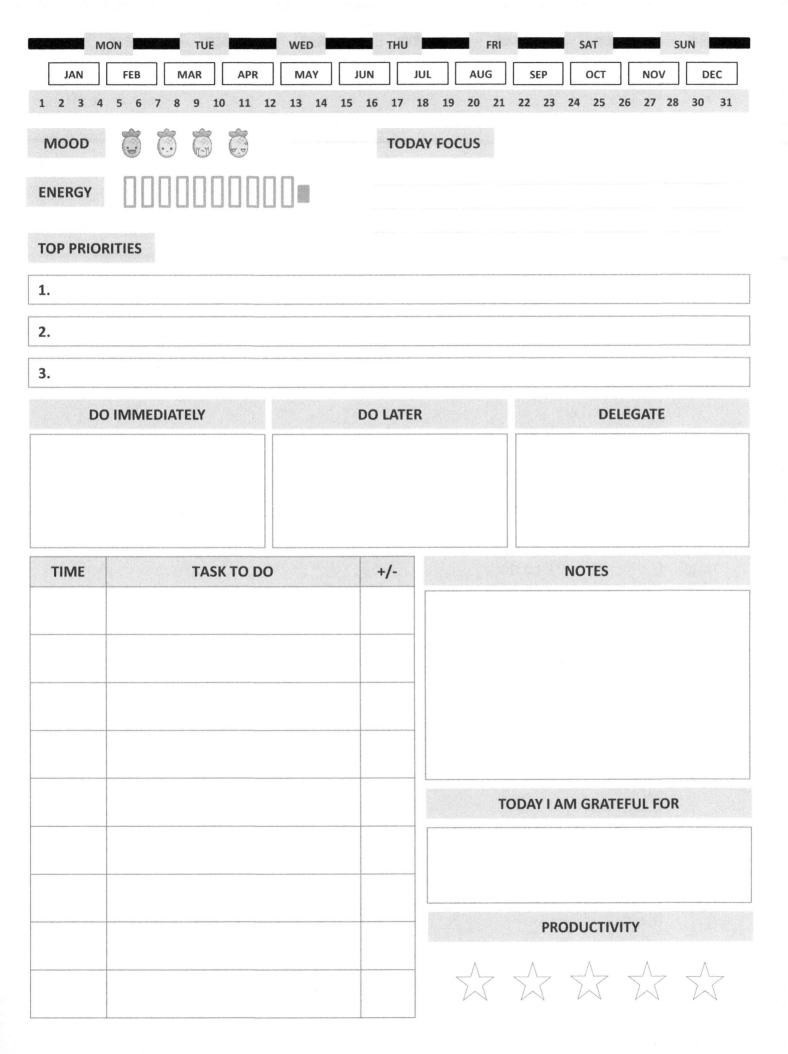

TODAY FOCUS

ENERGY

TOP PRIORITIES

1.

2.

3.

DO IMMEDIATELY	DO LATER	DELEGATE

TIME	TASK TO DO	+/-

NOTES

TODAY I AM GRATEFUL FOR

PRODUCTIVITY

☆ ☆ ☆ ☆ ☆

MON	TUE	WED	THU	FRI	SAT	SUN

JAN	FEB	MAR	APR	MAY	JUN	JUL	AUG	SEP	OCT	NOV	DEC

1 2 3 4 5 6 7 8 9 10 11 12 13 14 15 16 17 18 19 20 21 22 23 24 25 26 27 28 30 31

MOOD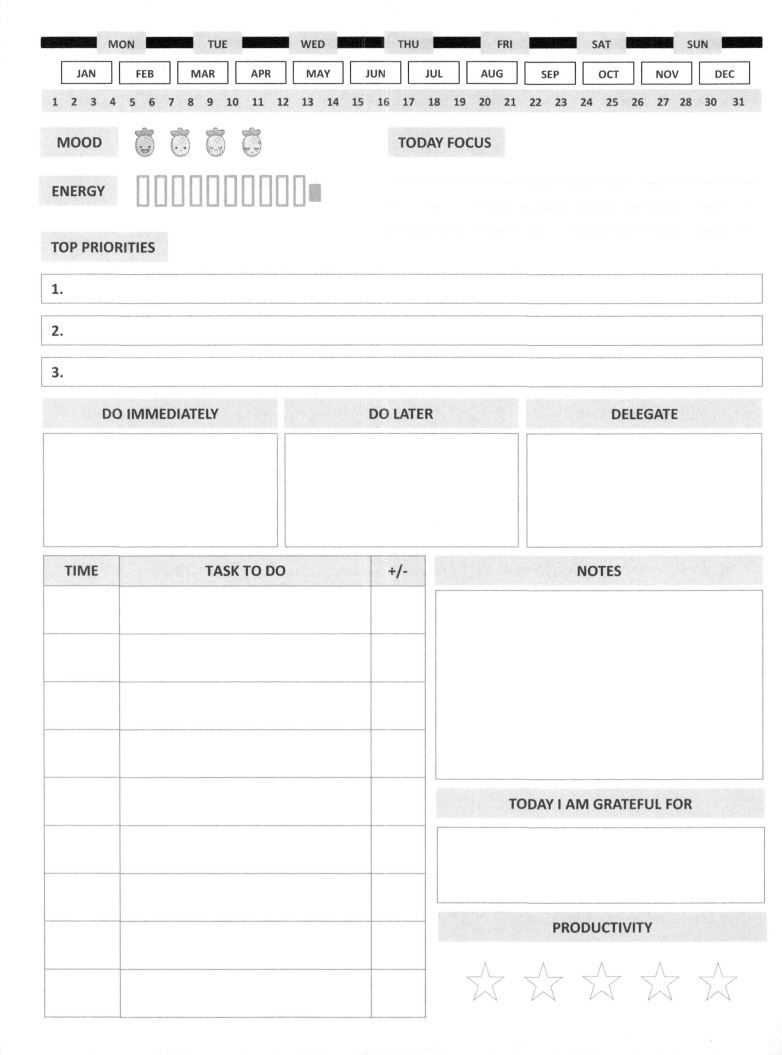

TODAY FOCUS

ENERGY

TOP PRIORITIES

1.

2.

3.

DO IMMEDIATELY	DO LATER	DELEGATE

TIME	TASK TO DO	+/-

NOTES

TODAY I AM GRATEFUL FOR

PRODUCTIVITY

☆ ☆ ☆ ☆ ☆

| JAN | FEB | MAR | APR | MAY | JUN | JUL | AUG | SEP | OCT | NOV | DEC |

WEEK FOCUS

THIS WEEK PRIORITIES

1.

2.

3.

MON	
TUE	
WED	
THU	
FRI	
SAT	
SUN	

NOTES

INSPIRATION

MON	TUE	WED	THU	FRI	SAT	SUN

JAN	FEB	MAR	APR	MAY	JUN	JUL	AUG	SEP	OCT	NOV	DEC

1 2 3 4 5 6 7 8 9 10 11 12 13 14 15 16 17 18 19 20 21 22 23 24 25 26 27 28 30 31

MOOD

ENERGY

TODAY FOCUS

TOP PRIORITIES

1.

2.

3.

DO IMMEDIATELY	DO LATER	DELEGATE

TIME	TASK TO DO	+/-

NOTES

TODAY I AM GRATEFUL FOR

PRODUCTIVITY

☆ ☆ ☆ ☆ ☆

MON	TUE	WED	THU	FRI	SAT	SUN

JAN	FEB	MAR	APR	MAY	JUN	JUL	AUG	SEP	OCT	NOV	DEC

1 2 3 4 5 6 7 8 9 10 11 12 13 14 15 16 17 18 19 20 21 22 23 24 25 26 27 28 30 31

MOOD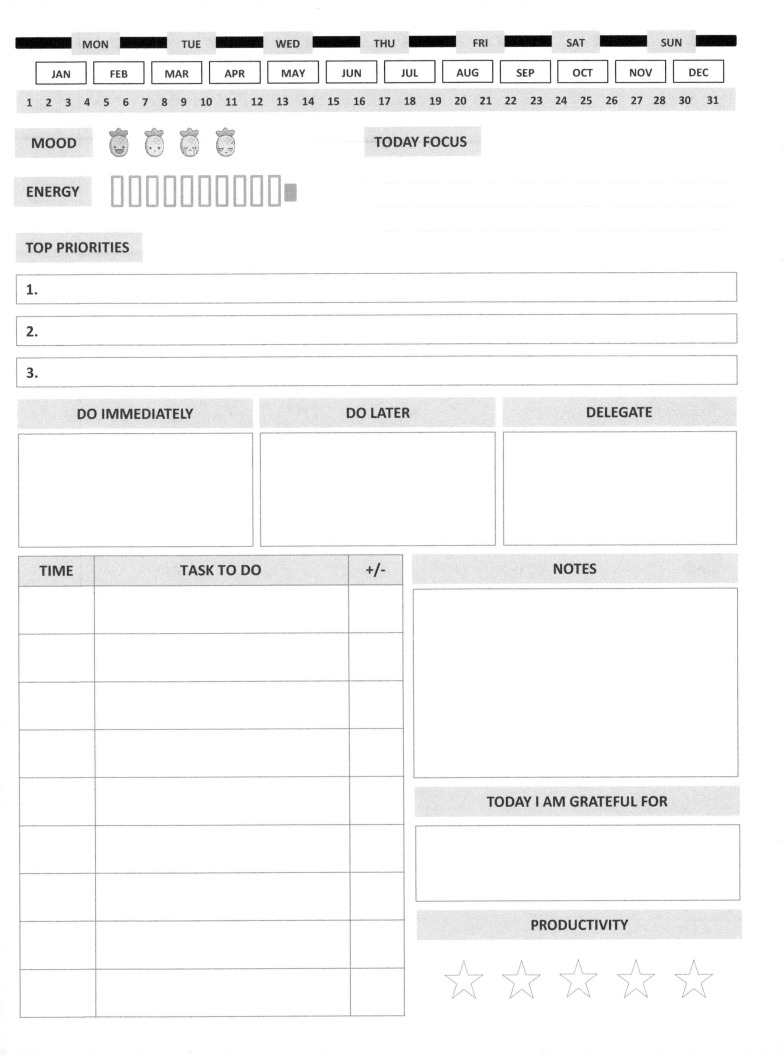

TODAY FOCUS

ENERGY

TOP PRIORITIES

1.

2.

3.

DO IMMEDIATELY	DO LATER	DELEGATE

TIME	TASK TO DO	+/-

NOTES

TODAY I AM GRATEFUL FOR

PRODUCTIVITY

☆ ☆ ☆ ☆ ☆

| MON | TUE | WED | THU | FRI | SAT | SUN |

| JAN | FEB | MAR | APR | MAY | JUN | JUL | AUG | SEP | OCT | NOV | DEC |

1 2 3 4 5 6 7 8 9 10 11 12 13 14 15 16 17 18 19 20 21 22 23 24 25 26 27 28 30 31

MOOD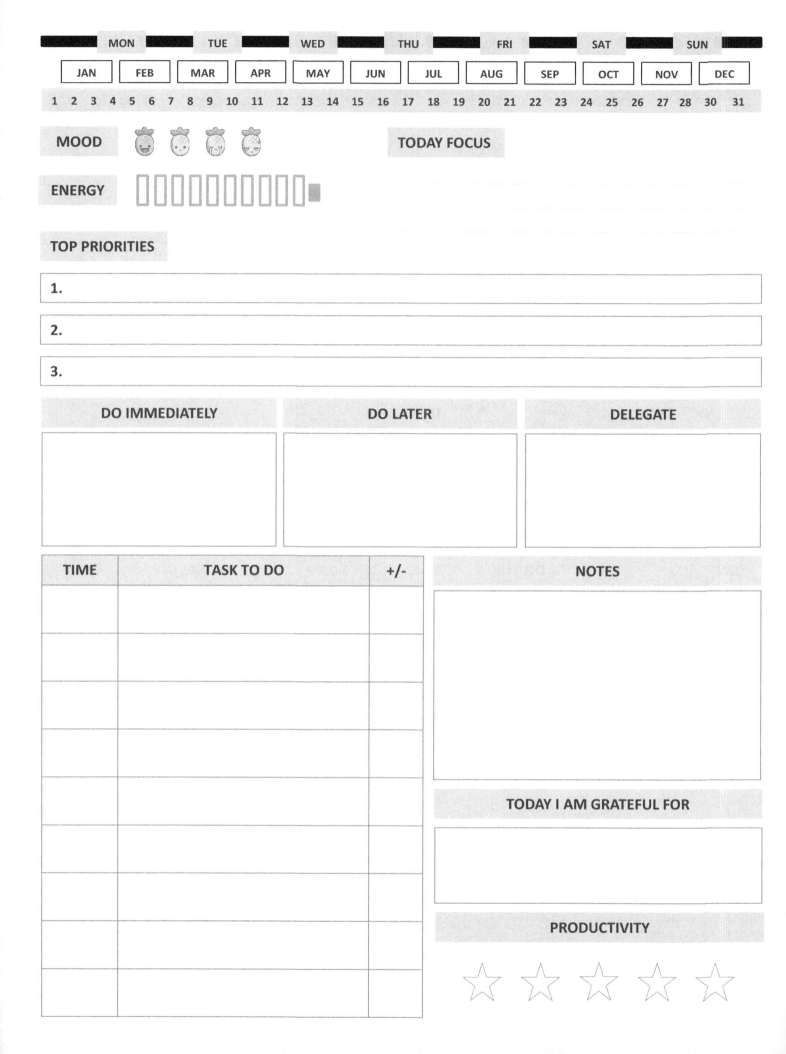

TODAY FOCUS

ENERGY

TOP PRIORITIES

1.

2.

3.

DO IMMEDIATELY	DO LATER	DELEGATE

TIME	TASK TO DO	+/-

NOTES

TODAY I AM GRATEFUL FOR

PRODUCTIVITY

☆ ☆ ☆ ☆ ☆

MON	TUE	WED	THU	FRI	SAT	SUN

JAN	FEB	MAR	APR	MAY	JUN	JUL	AUG	SEP	OCT	NOV	DEC

1 2 3 4 5 6 7 8 9 10 11 12 13 14 15 16 17 18 19 20 21 22 23 24 25 26 27 28 30 31

MOOD

TODAY FOCUS

ENERGY

TOP PRIORITIES

1.

2.

3.

DO IMMEDIATELY	DO LATER	DELEGATE

TIME	TASK TO DO	+/-

NOTES

TODAY I AM GRATEFUL FOR

PRODUCTIVITY

☆ ☆ ☆ ☆ ☆

MON	TUE	WED	THU	FRI	SAT	SUN

JAN	FEB	MAR	APR	MAY	JUN	JUL	AUG	SEP	OCT	NOV	DEC

1 2 3 4 5 6 7 8 9 10 11 12 13 14 15 16 17 18 19 20 21 22 23 24 25 26 27 28 30 31

MOOD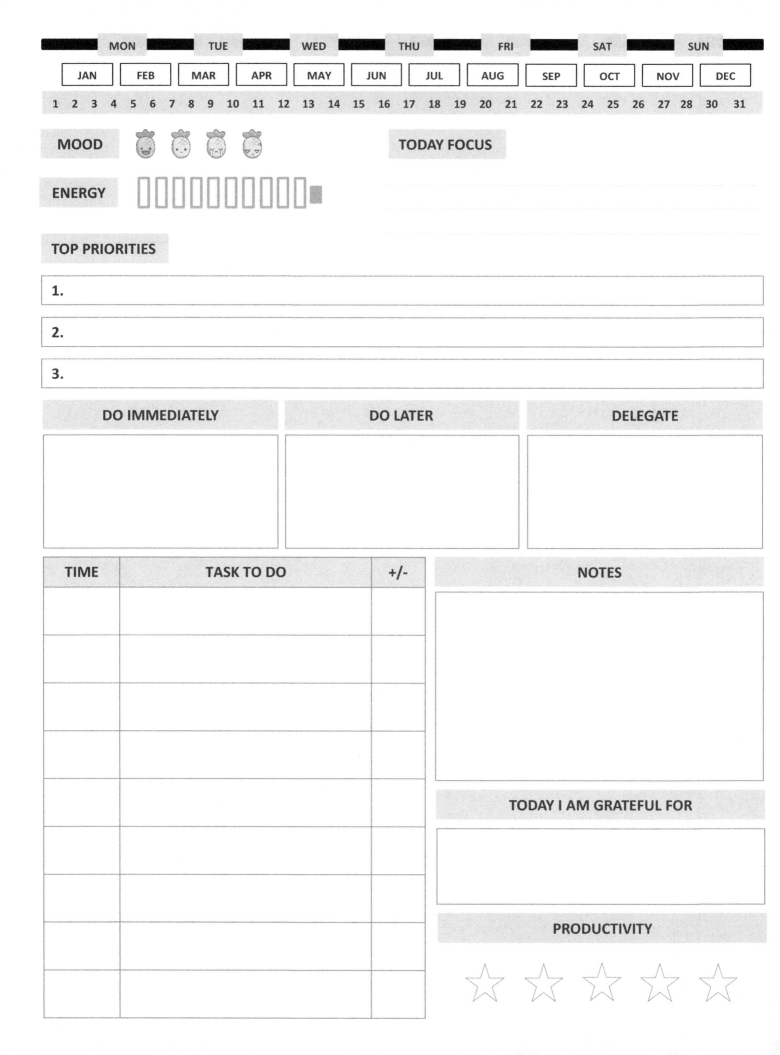

TODAY FOCUS

ENERGY

TOP PRIORITIES

1.

2.

3.

DO IMMEDIATELY	DO LATER	DELEGATE

TIME	TASK TO DO	+/-

NOTES

TODAY I AM GRATEFUL FOR

PRODUCTIVITY

☆ ☆ ☆ ☆ ☆

MON	TUE	WED	THU	FRI	SAT	SUN

JAN	FEB	MAR	APR	MAY	JUN	JUL	AUG	SEP	OCT	NOV	DEC

1 2 3 4 5 6 7 8 9 10 11 12 13 14 15 16 17 18 19 20 21 22 23 24 25 26 27 28 30 31

MOOD

TODAY FOCUS

ENERGY ☐☐☐☐☐☐☐☐☐▪

TOP PRIORITIES

1.

2.

3.

DO IMMEDIATELY	DO LATER	DELEGATE

TIME	TASK TO DO	+/-

NOTES

TODAY I AM GRATEFUL FOR

PRODUCTIVITY

☆ ☆ ☆ ☆ ☆

MON	TUE	WED	THU	FRI	SAT	SUN

JAN	FEB	MAR	APR	MAY	JUN	JUL	AUG	SEP	OCT	NOV	DEC

1 2 3 4 5 6 7 8 9 10 11 12 13 14 15 16 17 18 19 20 21 22 23 24 25 26 27 28 30 31

MOOD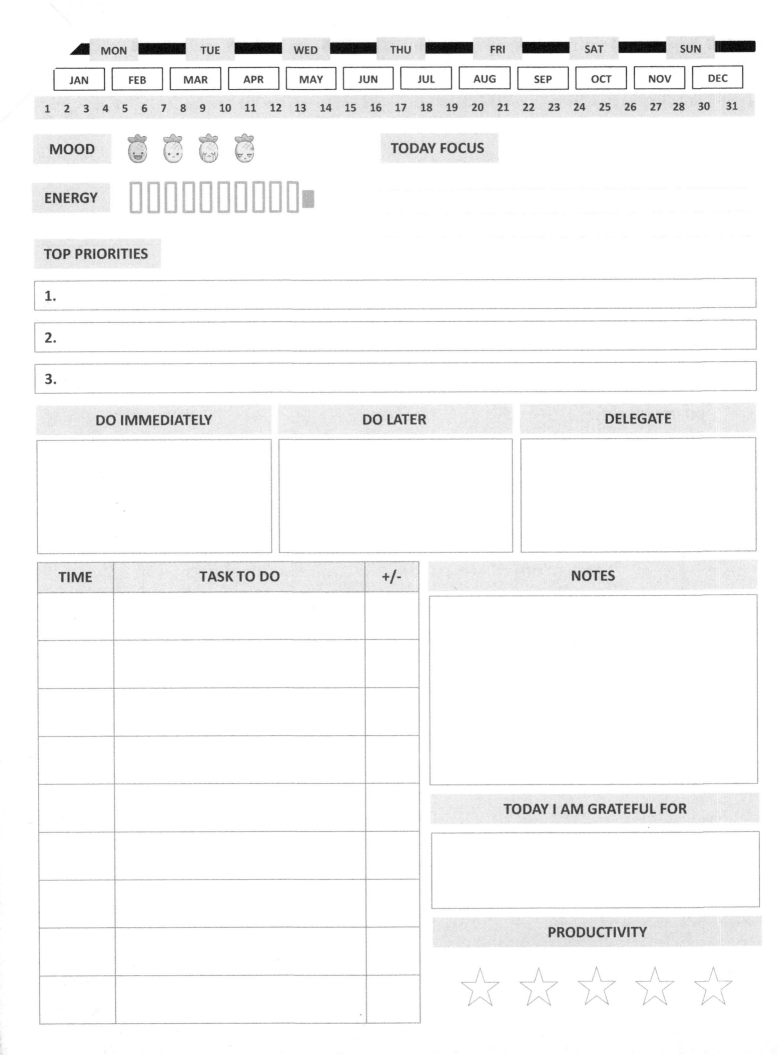

TODAY FOCUS

ENERGY

TOP PRIORITIES

1.

2.

3.

DO IMMEDIATELY	DO LATER	DELEGATE

TIME	TASK TO DO	+/-

NOTES

TODAY I AM GRATEFUL FOR

PRODUCTIVITY

☆ ☆ ☆ ☆ ☆

| WEEK 1 | | WEEK 2 | | WEEK 3 | | WEEK 4 | |

| JAN | FEB | MAR | APR | MAY | JUN | JUL | AUG | SEP | OCT | NOV | DEC |

WEEK FOCUS

THIS WEEK PRIORITIES

1.

2.

3.

		NOTES
MON		
TUE		
WED		
THU		
FRI		INSPIRATION
SAT		
SUN		

MON	TUE	WED	THU	FRI	SAT	SUN

JAN	FEB	MAR	APR	MAY	JUN	JUL	AUG	SEP	OCT	NOV	DEC

1 2 3 4 5 6 7 8 9 10 11 12 13 14 15 16 17 18 19 20 21 22 23 24 25 26 27 28 30 31

MOOD

TODAY FOCUS

ENERGY

TOP PRIORITIES

1.

2.

3.

DO IMMEDIATELY	DO LATER	DELEGATE

TIME	TASK TO DO	+/-

NOTES

TODAY I AM GRATEFUL FOR

PRODUCTIVITY

☆ ☆ ☆ ☆ ☆

MON	TUE	WED	THU	FRI	SAT	SUN

JAN	FEB	MAR	APR	MAY	JUN	JUL	AUG	SEP	OCT	NOV	DEC

1 2 3 4 5 6 7 8 9 10 11 12 13 14 15 16 17 18 19 20 21 22 23 24 25 26 27 28 30 31

MOOD

TODAY FOCUS

ENERGY

TOP PRIORITIES

1.

2.

3.

DO IMMEDIATELY	DO LATER	DELEGATE

TIME	TASK TO DO	+/-

NOTES

TODAY I AM GRATEFUL FOR

PRODUCTIVITY

☆ ☆ ☆ ☆ ☆

MON	TUE	WED	THU	FRI	SAT	SUN

JAN	FEB	MAR	APR	MAY	JUN	JUL	AUG	SEP	OCT	NOV	DEC

1 2 3 4 5 6 7 8 9 10 11 12 13 14 15 16 17 18 19 20 21 22 23 24 25 26 27 28 30 31

MOOD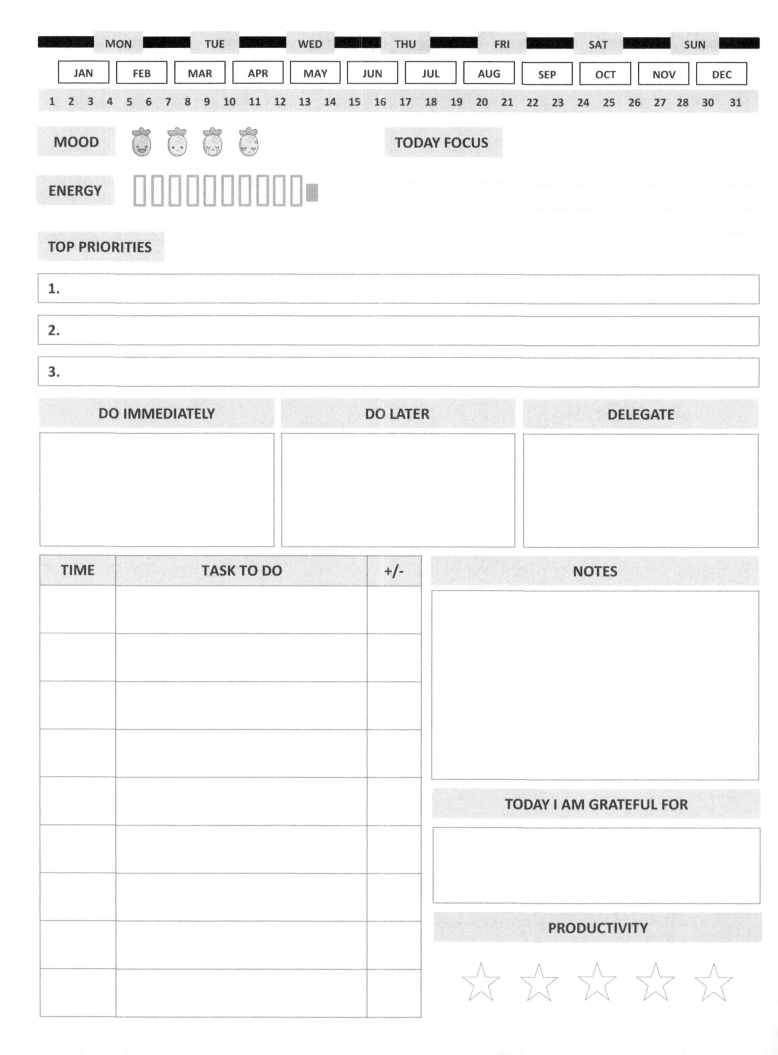

TODAY FOCUS

ENERGY

TOP PRIORITIES

1.

2.

3.

DO IMMEDIATELY	DO LATER	DELEGATE

TIME	TASK TO DO	+/-

NOTES

TODAY I AM GRATEFUL FOR

PRODUCTIVITY

☆ ☆ ☆ ☆ ☆

| MON | TUE | WED | THU | FRI | SAT | SUN |

| JAN | FEB | MAR | APR | MAY | JUN | JUL | AUG | SEP | OCT | NOV | DEC |

1 2 3 4 5 6 7 8 9 10 11 12 13 14 15 16 17 18 19 20 21 22 23 24 25 26 27 28 30 31

MOOD

TODAY FOCUS

ENERGY

TOP PRIORITIES

1.	

2.	

3.	

DO IMMEDIATELY	DO LATER	DELEGATE

TIME	TASK TO DO	+/-

NOTES

TODAY I AM GRATEFUL FOR

PRODUCTIVITY

☆ ☆ ☆ ☆ ☆

MON	TUE	WED	THU	FRI	SAT	SUN

JAN	FEB	MAR	APR	MAY	JUN	JUL	AUG	SEP	OCT	NOV	DEC

1 2 3 4 5 6 7 8 9 10 11 12 13 14 15 16 17 18 19 20 21 22 23 24 25 26 27 28 30 31

MOOD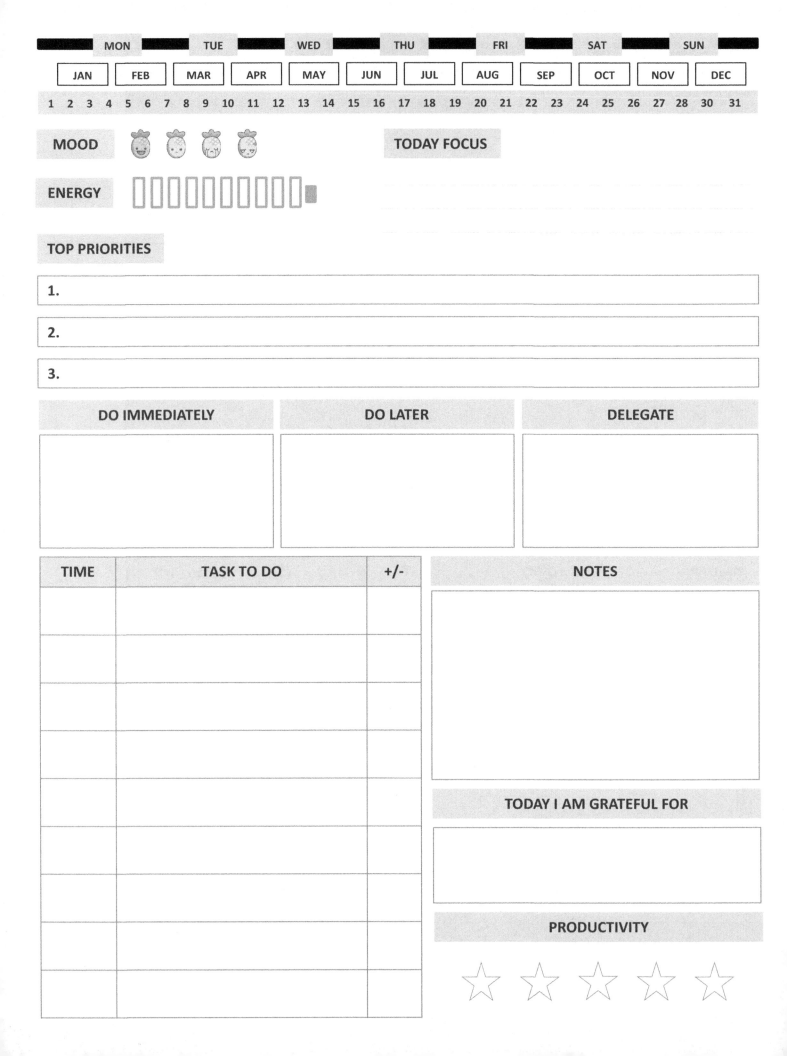

TODAY FOCUS

ENERGY

TOP PRIORITIES

1.

2.

3.

DO IMMEDIATELY	DO LATER	DELEGATE

TIME	TASK TO DO	+/-

NOTES

TODAY I AM GRATEFUL FOR

PRODUCTIVITY

☆ ☆ ☆ ☆ ☆

| MON | TUE | WED | THU | FRI | SAT | SUN |

| JAN | FEB | MAR | APR | MAY | JUN | JUL | AUG | SEP | OCT | NOV | DEC |

1 2 3 4 5 6 7 8 9 10 11 12 13 14 15 16 17 18 19 20 21 22 23 24 25 26 27 28 30 31

MOOD

TODAY FOCUS

ENERGY

TOP PRIORITIES

1.

2.

3.

DO IMMEDIATELY	DO LATER	DELEGATE

TIME	TASK TO DO	+/-

NOTES

TODAY I AM GRATEFUL FOR

PRODUCTIVITY

☆ ☆ ☆ ☆ ☆

MON	TUE	WED	THU	FRI	SAT	SUN

JAN	FEB	MAR	APR	MAY	JUN	JUL	AUG	SEP	OCT	NOV	DEC

1 2 3 4 5 6 7 8 9 10 11 12 13 14 15 16 17 18 19 20 21 22 23 24 25 26 27 28 30 31

MOOD 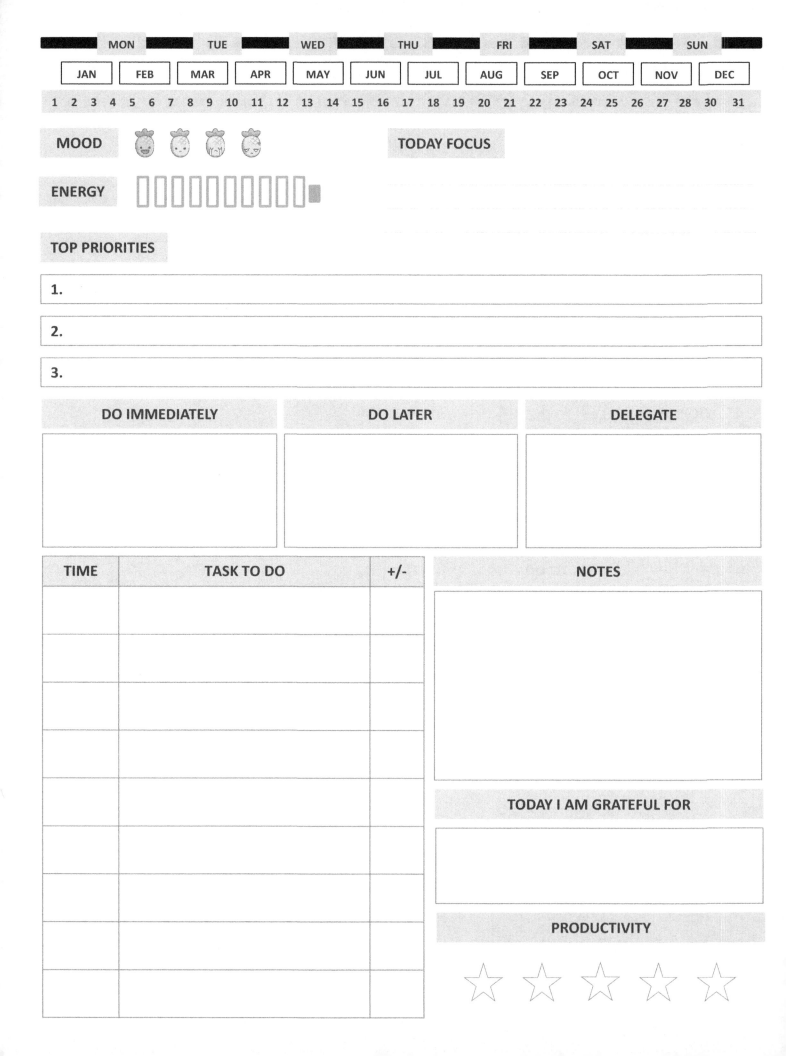 **TODAY FOCUS**

ENERGY

TOP PRIORITIES

1.

2.

3.

DO IMMEDIATELY	DO LATER	DELEGATE

TIME	TASK TO DO	+/-

NOTES

TODAY I AM GRATEFUL FOR

PRODUCTIVITY

☆ ☆ ☆ ☆ ☆

WEEK 1		WEEK 2			WEEK 3			WEEK 4	

JAN	FEB	MAR	APR	MAY	JUN	JUL	AUG	SEP	OCT	NOV	DEC

WEEK FOCUS

THIS WEEK PRIORITIES

1.

2.

3.

MON	
TUE	
WED	
THU	
FRI	
SAT	
SUN	

NOTES

INSPIRATION

MON	TUE	WED	THU	FRI	SAT	SUN

JAN	FEB	MAR	APR	MAY	JUN	JUL	AUG	SEP	OCT	NOV	DEC

1 2 3 4 5 6 7 8 9 10 11 12 13 14 15 16 17 18 19 20 21 22 23 24 25 26 27 28 30 31

MOOD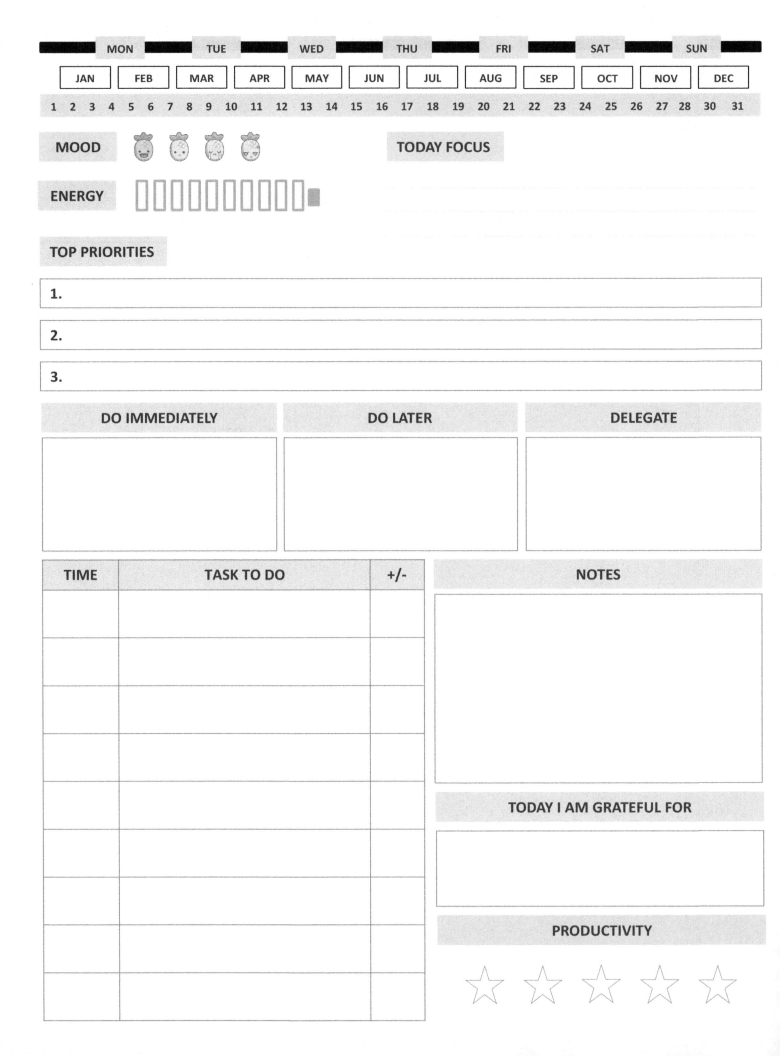

TODAY FOCUS

ENERGY

TOP PRIORITIES

1.

2.

3.

DO IMMEDIATELY	DO LATER	DELEGATE

TIME	TASK TO DO	+/-

NOTES

TODAY I AM GRATEFUL FOR

PRODUCTIVITY

☆ ☆ ☆ ☆ ☆

MON	TUE	WED	THU	FRI	SAT	SUN

JAN	FEB	MAR	APR	MAY	JUN	JUL	AUG	SEP	OCT	NOV	DEC

1 2 3 4 5 6 7 8 9 10 11 12 13 14 15 16 17 18 19 20 21 22 23 24 25 26 27 28 30 31

MOOD

TODAY FOCUS

ENERGY

TOP PRIORITIES

1.

2.

3.

DO IMMEDIATELY	DO LATER	DELEGATE

TIME	TASK TO DO	+/-

NOTES

TODAY I AM GRATEFUL FOR

PRODUCTIVITY

☆ ☆ ☆ ☆ ☆

MON	TUE	WED	THU	FRI	SAT	SUN

JAN	FEB	MAR	APR	MAY	JUN	JUL	AUG	SEP	OCT	NOV	DEC

1 2 3 4 5 6 7 8 9 10 11 12 13 14 15 16 17 18 19 20 21 22 23 24 25 26 27 28 30 31

MOOD 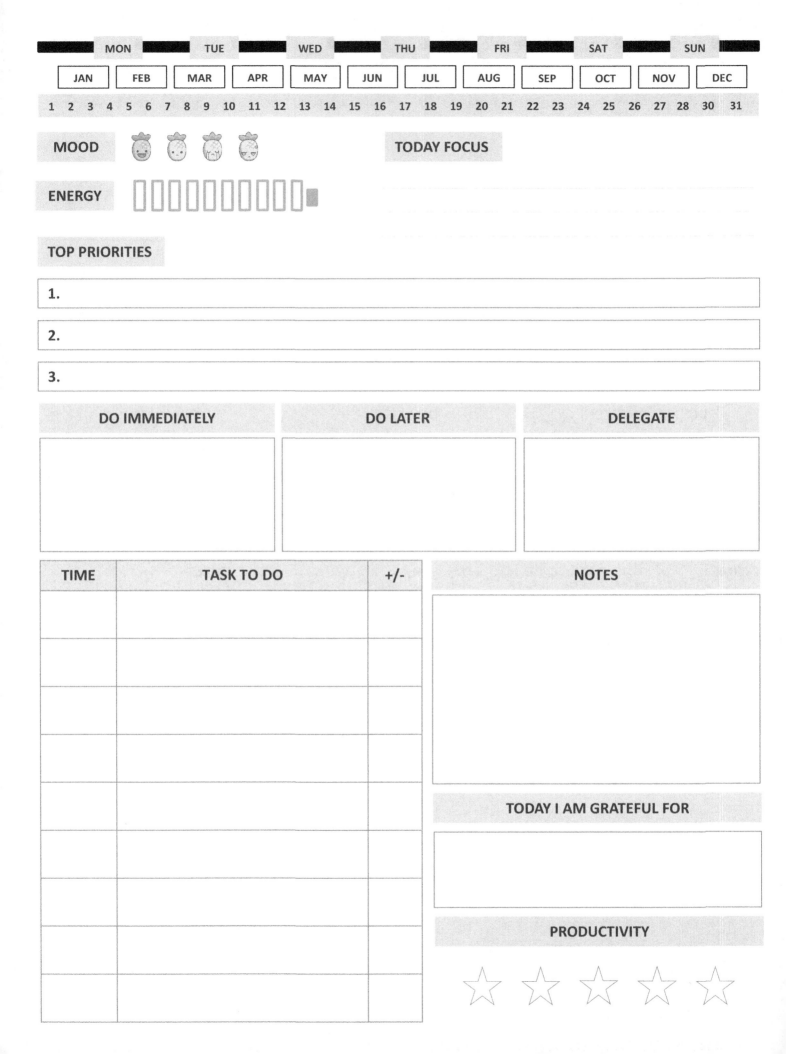   **TODAY FOCUS**

ENERGY

TOP PRIORITIES

1.

2.

3.

DO IMMEDIATELY	DO LATER	DELEGATE

TIME	TASK TO DO	+/-

NOTES

TODAY I AM GRATEFUL FOR

PRODUCTIVITY

☆ ☆ ☆ ☆ ☆

MON	TUE	WED	THU	FRI	SAT	SUN

JAN	FEB	MAR	APR	MAY	JUN	JUL	AUG	SEP	OCT	NOV	DEC

1 2 3 4 5 6 7 8 9 10 11 12 13 14 15 16 17 18 19 20 21 22 23 24 25 26 27 28 30 31

MOOD

TODAY FOCUS

ENERGY

TOP PRIORITIES

1.

2.

3.

DO IMMEDIATELY	DO LATER	DELEGATE

TIME	TASK TO DO	+/-

NOTES

TODAY I AM GRATEFUL FOR

PRODUCTIVITY

☆ ☆ ☆ ☆ ☆

MON	TUE	WED	THU	FRI	SAT	SUN

JAN	FEB	MAR	APR	MAY	JUN	JUL	AUG	SEP	OCT	NOV	DEC

1 2 3 4 5 6 7 8 9 10 11 12 13 14 15 16 17 18 19 20 21 22 23 24 25 26 27 28 30 31

MOOD

TODAY FOCUS

ENERGY

TOP PRIORITIES

1.

2.

3.

DO IMMEDIATELY	DO LATER	DELEGATE

TIME	TASK TO DO	+/-

NOTES

TODAY I AM GRATEFUL FOR

PRODUCTIVITY

☆ ☆ ☆ ☆ ☆

MON	TUE	WED	THU	FRI	SAT	SUN

JAN	FEB	MAR	APR	MAY	JUN	JUL	AUG	SEP	OCT	NOV	DEC

1 2 3 4 5 6 7 8 9 10 11 12 13 14 15 16 17 18 19 20 21 22 23 24 25 26 27 28 30 31

MOOD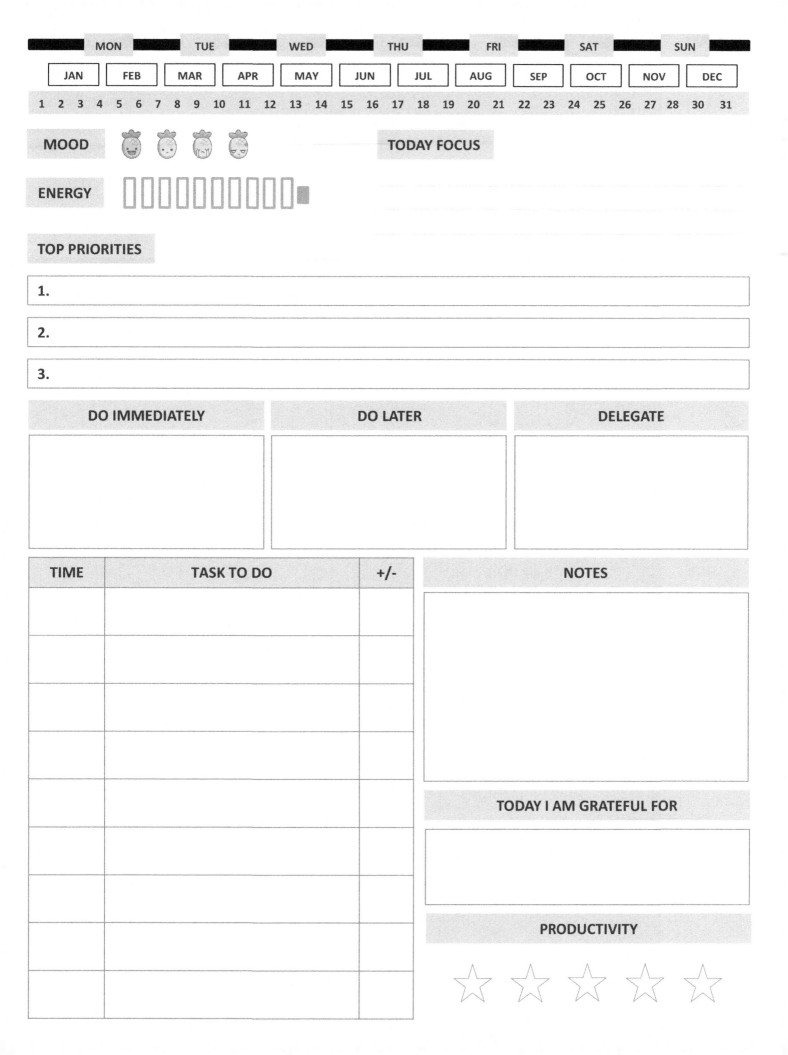

TODAY FOCUS

ENERGY

TOP PRIORITIES

1.

2.

3.

DO IMMEDIATELY	DO LATER	DELEGATE

TIME	TASK TO DO	+/-

NOTES

TODAY I AM GRATEFUL FOR

PRODUCTIVITY

☆ ☆ ☆ ☆ ☆

| MON | TUE | WED | THU | FRI | SAT | SUN |

| JAN | FEB | MAR | APR | MAY | JUN | JUL | AUG | SEP | OCT | NOV | DEC |

1 2 3 4 5 6 7 8 9 10 11 12 13 14 15 16 17 18 19 20 21 22 23 24 25 26 27 28 30 31

MOOD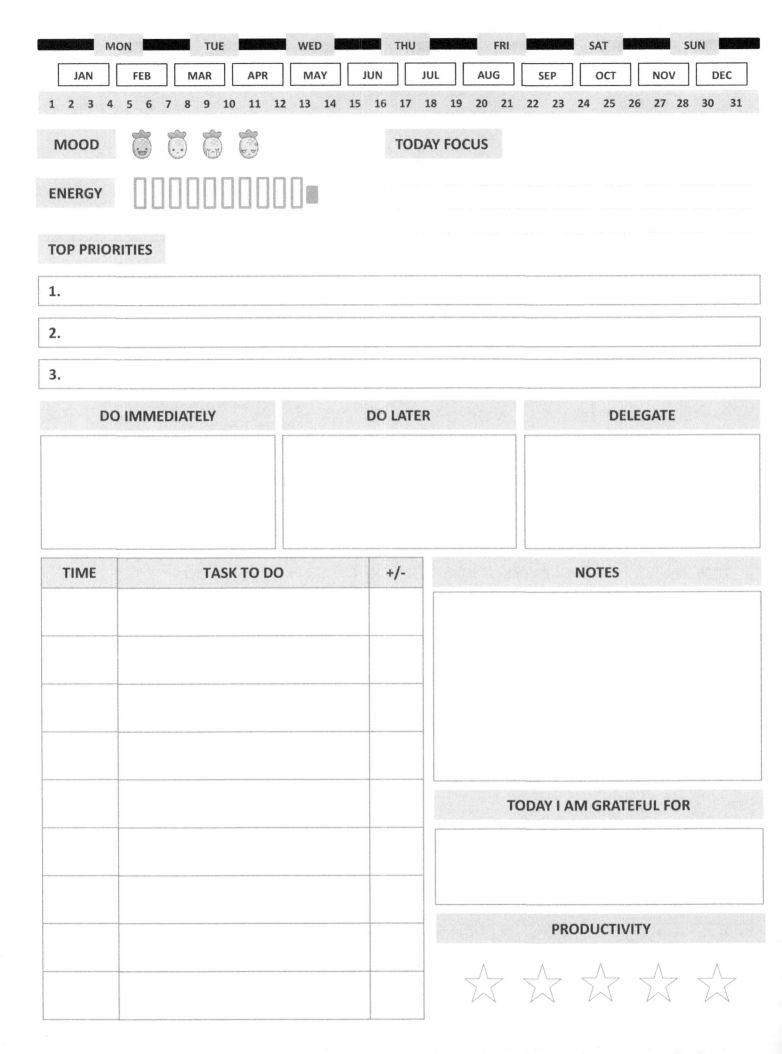

TODAY FOCUS

ENERGY

TOP PRIORITIES

1.

2.

3.

DO IMMEDIATELY	DO LATER	DELEGATE

TIME	TASK TO DO	+/-

NOTES

TODAY I AM GRATEFUL FOR

PRODUCTIVITY

☆ ☆ ☆ ☆ ☆

WEEK 1				WEEK 2				WEEK 3				WEEK 4
JAN	FEB	MAR	APR	MAY	JUN	JUL	AUG	SEP	OCT	NOV	DEC

WEEK FOCUS

THIS WEEK PRIORITIES

1.

2.

3.

MON	

TUE	

WED	

THU	

FRI	

SAT	

SUN	

NOTES

INSPIRATION

| MON | TUE | WED | THU | FRI | SAT | SUN |

| JAN | FEB | MAR | APR | MAY | JUN | JUL | AUG | SEP | OCT | NOV | DEC |

1 2 3 4 5 6 7 8 9 10 11 12 13 14 15 16 17 18 19 20 21 22 23 24 25 26 27 28 30 31

MOOD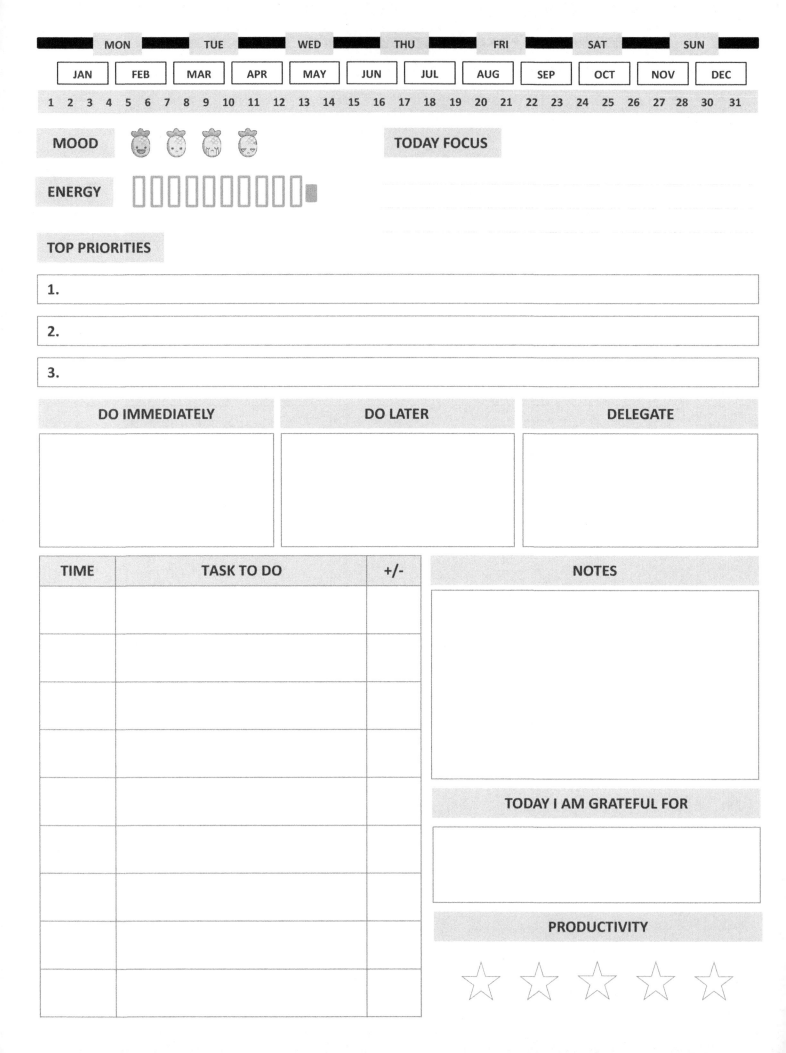

TODAY FOCUS

ENERGY

TOP PRIORITIES

1.

2.

3.

DO IMMEDIATELY	DO LATER	DELEGATE

TIME	TASK TO DO	+/-	NOTES

TODAY I AM GRATEFUL FOR

PRODUCTIVITY

☆ ☆ ☆ ☆ ☆

MON	TUE	WED	THU	FRI	SAT	SUN

JAN	FEB	MAR	APR	MAY	JUN	JUL	AUG	SEP	OCT	NOV	DEC

1 2 3 4 5 6 7 8 9 10 11 12 13 14 15 16 17 18 19 20 21 22 23 24 25 26 27 28 30 31

MOOD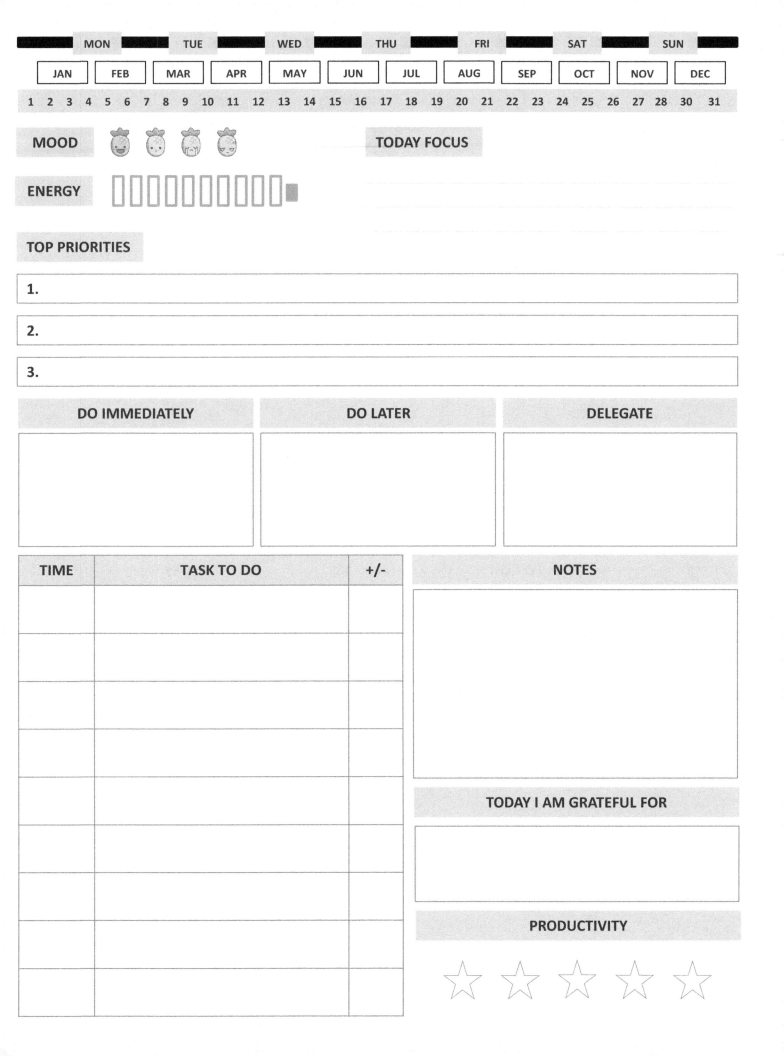

TODAY FOCUS

ENERGY

TOP PRIORITIES

1.

2.

3.

DO IMMEDIATELY	DO LATER	DELEGATE

TIME	TASK TO DO	+/-

NOTES

TODAY I AM GRATEFUL FOR

PRODUCTIVITY

☆ ☆ ☆ ☆ ☆

MON	TUE	WED	THU	FRI	SAT	SUN

JAN	FEB	MAR	APR	MAY	JUN	JUL	AUG	SEP	OCT	NOV	DEC

1 2 3 4 5 6 7 8 9 10 11 12 13 14 15 16 17 18 19 20 21 22 23 24 25 26 27 28 30 31

MOOD

TODAY FOCUS

ENERGY

TOP PRIORITIES

1.

2.

3.

DO IMMEDIATELY	DO LATER	DELEGATE

TIME	TASK TO DO	+/-

NOTES

TODAY I AM GRATEFUL FOR

PRODUCTIVITY

☆ ☆ ☆ ☆ ☆

MON	TUE	WED	THU	FRI	SAT	SUN

JAN	FEB	MAR	APR	MAY	JUN	JUL	AUG	SEP	OCT	NOV	DEC

1 2 3 4 5 6 7 8 9 10 11 12 13 14 15 16 17 18 19 20 21 22 23 24 25 26 27 28 30 31

MOOD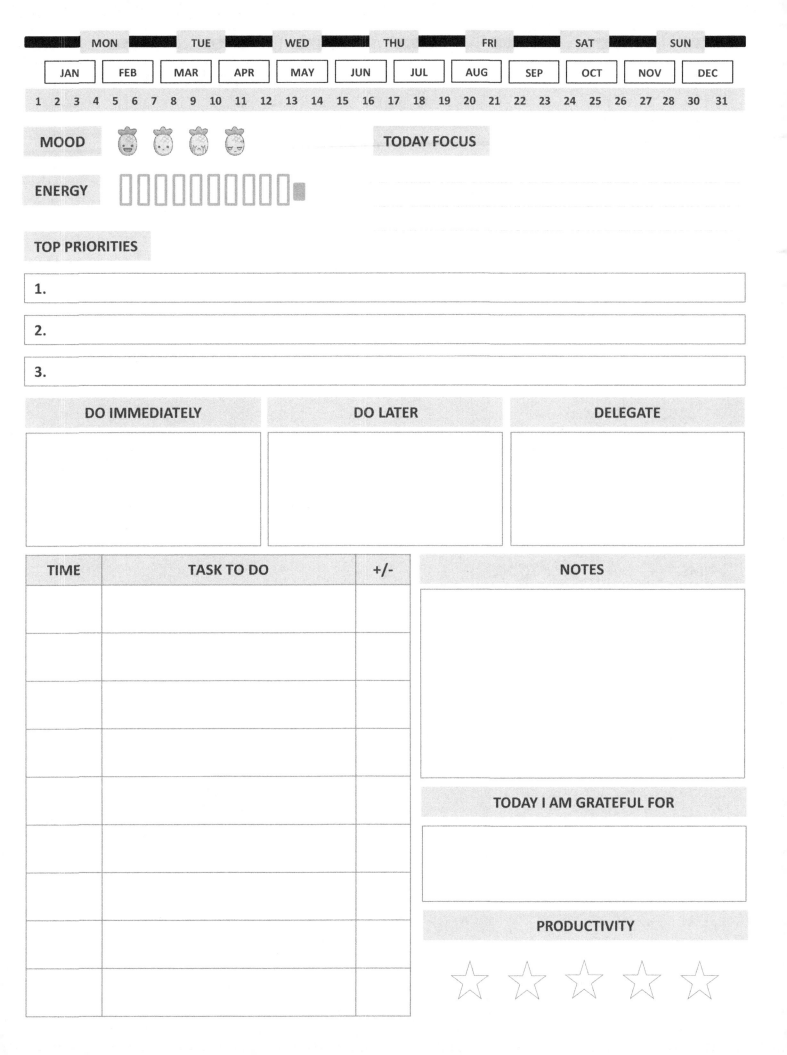

TODAY FOCUS

ENERGY

TOP PRIORITIES

1.

2.

3.

DO IMMEDIATELY	DO LATER	DELEGATE

TIME	TASK TO DO	+/-

NOTES

TODAY I AM GRATEFUL FOR

PRODUCTIVITY

☆ ☆ ☆ ☆ ☆

MON	TUE	WED	THU	FRI	SAT	SUN

JAN	FEB	MAR	APR	MAY	JUN	JUL	AUG	SEP	OCT	NOV	DEC

1 2 3 4 5 6 7 8 9 10 11 12 13 14 15 16 17 18 19 20 21 22 23 24 25 26 27 28 30 31

MOOD 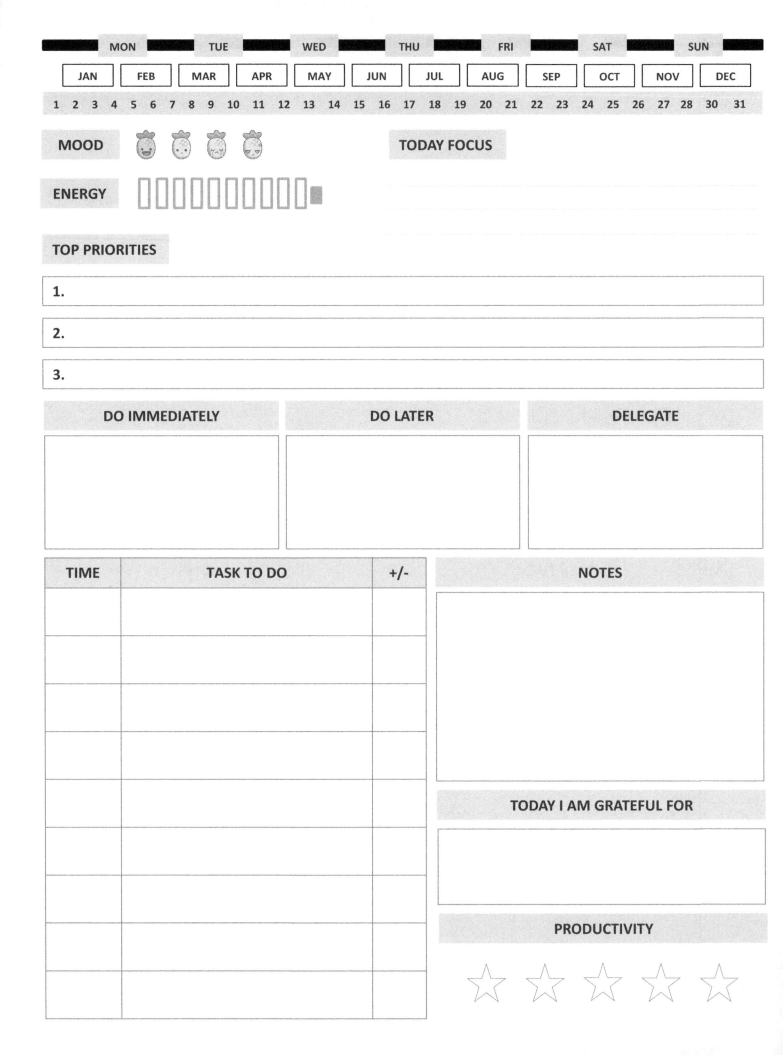   **TODAY FOCUS**

ENERGY

TOP PRIORITIES

1.

2.

3.

DO IMMEDIATELY	DO LATER	DELEGATE

TIME	TASK TO DO	+/-

NOTES

TODAY I AM GRATEFUL FOR

PRODUCTIVITY

☆ ☆ ☆ ☆ ☆

| MON | TUE | WED | THU | FRI | SAT | SUN |

| JAN | FEB | MAR | APR | MAY | JUN | JUL | AUG | SEP | OCT | NOV | DEC |

1 2 3 4 5 6 7 8 9 10 11 12 13 14 15 16 17 18 19 20 21 22 23 24 25 26 27 28 30 31

MOOD    **TODAY FOCUS**

ENERGY □□□□□□□□□■

TOP PRIORITIES

1.

2.

3.

DO IMMEDIATELY	DO LATER	DELEGATE

TIME	TASK TO DO	+/-

NOTES

TODAY I AM GRATEFUL FOR

PRODUCTIVITY

☆ ☆ ☆ ☆ ☆

| MON | TUE | WED | THU | FRI | SAT | SUN |

| JAN | FEB | MAR | APR | MAY | JUN | JUL | AUG | SEP | OCT | NOV | DEC |

1 2 3 4 5 6 7 8 9 10 11 12 13 14 15 16 17 18 19 20 21 22 23 24 25 26 27 28 30 31

MOOD

TODAY FOCUS

ENERGY

TOP PRIORITIES

1.

2.

3.

DO IMMEDIATELY	DO LATER	DELEGATE

TIME	TASK TO DO	+/-

NOTES

TODAY I AM GRATEFUL FOR

PRODUCTIVITY

☆ ☆ ☆ ☆ ☆

| WEEK 1 | | WEEK 2 | | WEEK 3 | | WEEK 4 |

| JAN | FEB | MAR | APR | MAY | JUN | JUL | AUG | SEP | OCT | NOV | DEC |

WEEK FOCUS

THIS WEEK PRIORITIES

1.

2.

3.

MON	
TUE	
WED	
THU	
FRI	
SAT	
SUN	

NOTES

INSPIRATION

MON	TUE	WED	THU	FRI	SAT	SUN

JAN	FEB	MAR	APR	MAY	JUN	JUL	AUG	SEP	OCT	NOV	DEC

1 2 3 4 5 6 7 8 9 10 11 12 13 14 15 16 17 18 19 20 21 22 23 24 25 26 27 28 30 31

MOOD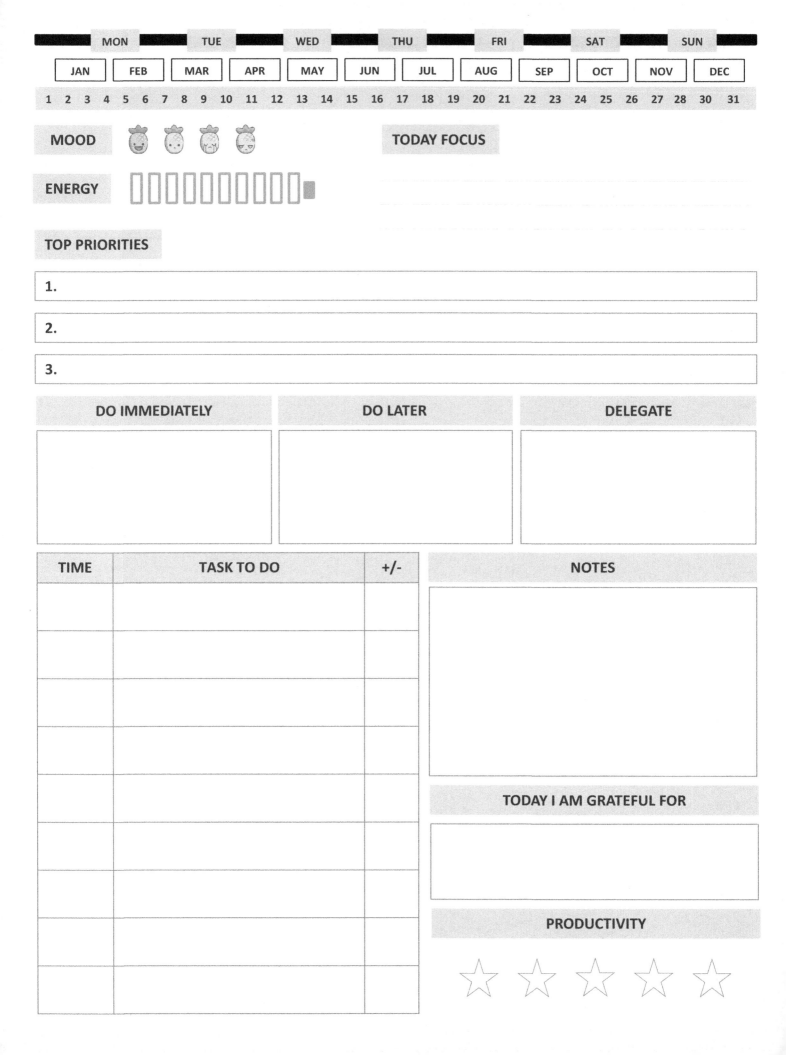

TODAY FOCUS

ENERGY

TOP PRIORITIES

1.

2.

3.

DO IMMEDIATELY	DO LATER	DELEGATE

TIME	TASK TO DO	+/-	NOTES

TODAY I AM GRATEFUL FOR

PRODUCTIVITY

☆ ☆ ☆ ☆ ☆

| MON | TUE | WED | THU | FRI | SAT | SUN |

| JAN | FEB | MAR | APR | MAY | JUN | JUL | AUG | SEP | OCT | NOV | DEC |

1 2 3 4 5 6 7 8 9 10 11 12 13 14 15 16 17 18 19 20 21 22 23 24 25 26 27 28 30 31

MOOD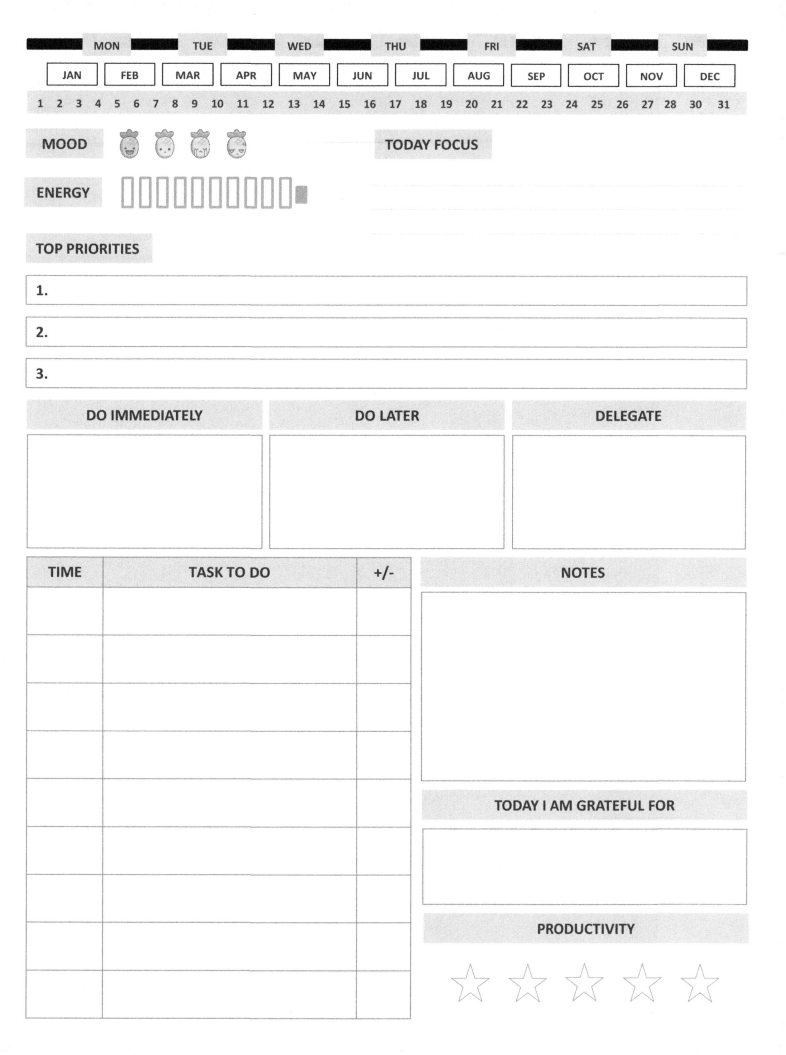

TODAY FOCUS

ENERGY

TOP PRIORITIES

1.

2.

3.

DO IMMEDIATELY	DO LATER	DELEGATE

TIME	TASK TO DO	+/-

NOTES

TODAY I AM GRATEFUL FOR

PRODUCTIVITY

☆ ☆ ☆ ☆ ☆

MON		TUE		WED		THU		FRI		SAT		SUN	

JAN	FEB	MAR	APR	MAY	JUN	JUL	AUG	SEP	OCT	NOV	DEC

1 2 3 4 5 6 7 8 9 10 11 12 13 14 15 16 17 18 19 20 21 22 23 24 25 26 27 28 29 30 31

MOOD

TODAY FOCUS

ENERGY ☐☐☐☐☐☐☐☐☐■

TOP PRIORITIES

1.

2.

3.

DO IMMEDIATELY	DO LATER	DELEGATE

TIME	TASK TO DO	+/-

NOTES

TODAY I AM GRATEFUL FOR

PRODUCTIVITY

☆ ☆ ☆ ☆ ☆

| MON | TUE | WED | THU | FRI | SAT | SUN |

| JAN | FEB | MAR | APR | MAY | JUN | JUL | AUG | SEP | OCT | NOV | DEC |

1 2 3 4 5 6 7 8 9 10 11 12 13 14 15 16 17 18 19 20 21 22 23 24 25 26 27 28 30 31

MOOD

TODAY FOCUS

ENERGY

TOP PRIORITIES

1.

2.

3.

DO IMMEDIATELY	DO LATER	DELEGATE

TIME	TASK TO DO	+/-

NOTES

TODAY I AM GRATEFUL FOR

PRODUCTIVITY

☆ ☆ ☆ ☆ ☆

| MON | TUE | WED | THU | FRI | SAT | SUN |

| JAN | FEB | MAR | APR | MAY | JUN | JUL | AUG | SEP | OCT | NOV | DEC |

1 2 3 4 5 6 7 8 9 10 11 12 13 14 15 16 17 18 19 20 21 22 23 24 25 26 27 28 30 31

MOOD

TODAY FOCUS

ENERGY

TOP PRIORITIES

1.

2.

3.

DO IMMEDIATELY	DO LATER	DELEGATE

TIME	TASK TO DO	+/-

NOTES

TODAY I AM GRATEFUL FOR

PRODUCTIVITY

☆ ☆ ☆ ☆ ☆

MON	TUE	WED	THU	FRI	SAT	SUN

JAN	FEB	MAR	APR	MAY	JUN	JUL	AUG	SEP	OCT	NOV	DEC

1 2 3 4 5 6 7 8 9 10 11 12 13 14 15 16 17 18 19 20 21 22 23 24 25 26 27 28 30 31

MOOD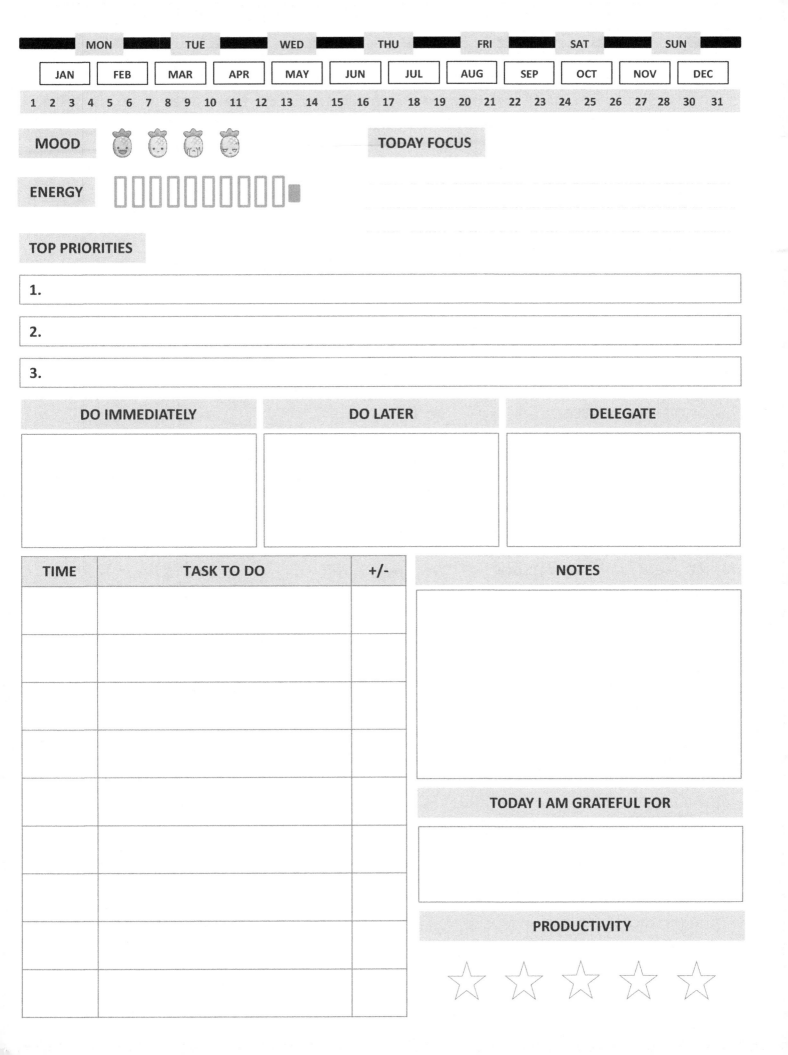

TODAY FOCUS

ENERGY

TOP PRIORITIES

1.

2.

3.

DO IMMEDIATELY	DO LATER	DELEGATE

TIME	TASK TO DO	+/-

NOTES

TODAY I AM GRATEFUL FOR

PRODUCTIVITY

☆ ☆ ☆ ☆ ☆

| MON | TUE | WED | THU | FRI | SAT | SUN |

| JAN | FEB | MAR | APR | MAY | JUN | JUL | AUG | SEP | OCT | NOV | DEC |

1 2 3 4 5 6 7 8 9 10 11 12 13 14 15 16 17 18 19 20 21 22 23 24 25 26 27 28 30 31

MOOD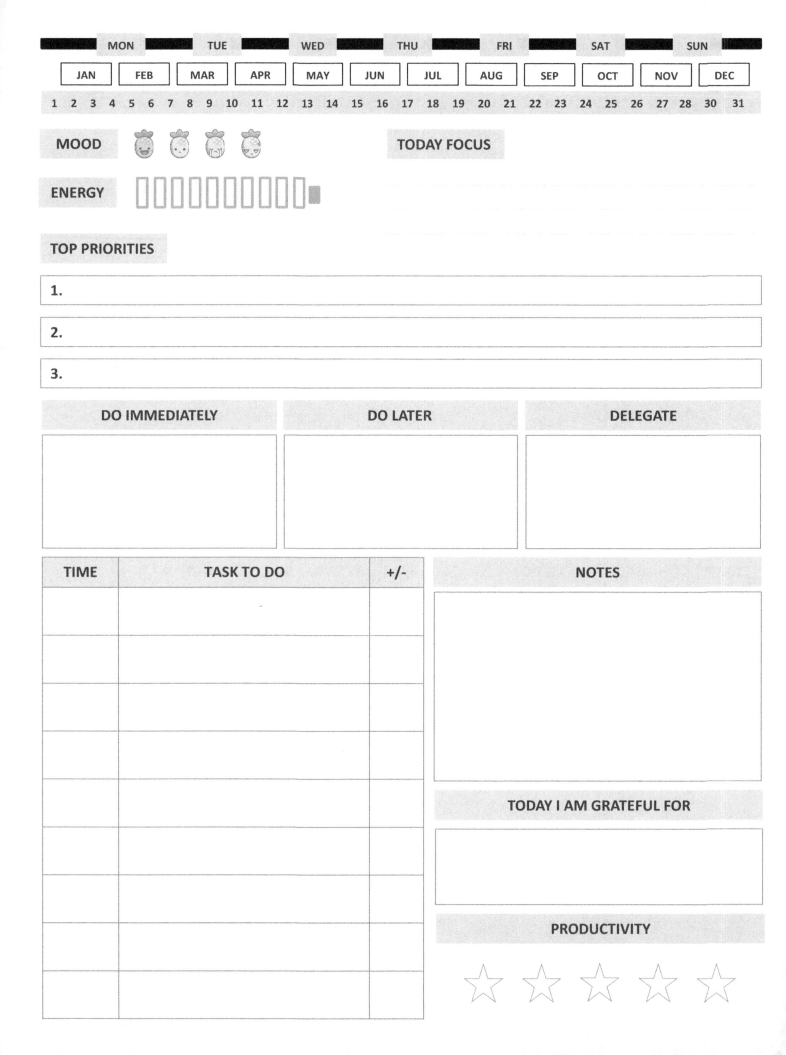

TODAY FOCUS

ENERGY

TOP PRIORITIES

1.

2.

3.

DO IMMEDIATELY	DO LATER	DELEGATE

TIME	TASK TO DO	+/-

NOTES

TODAY I AM GRATEFUL FOR

PRODUCTIVITY

☆ ☆ ☆ ☆ ☆

WEEK 1		WEEK 2		WEEK 3		WEEK 4	

JAN	FEB	MAR	APR	MAY	JUN	JUL	AUG	SEP	OCT	NOV	DEC

WEEK FOCUS

THIS WEEK PRIORITIES

1.

2.

3.

		NOTES
MON		
TUE		
WED		
THU		
FRI		**INSPIRATION**
SAT		
SUN		

| MON | TUE | WED | THU | FRI | SAT | SUN |

| JAN | FEB | MAR | APR | MAY | JUN | JUL | AUG | SEP | OCT | NOV | DEC |

1 2 3 4 5 6 7 8 9 10 11 12 13 14 15 16 17 18 19 20 21 22 23 24 25 26 27 28 30 31

MOOD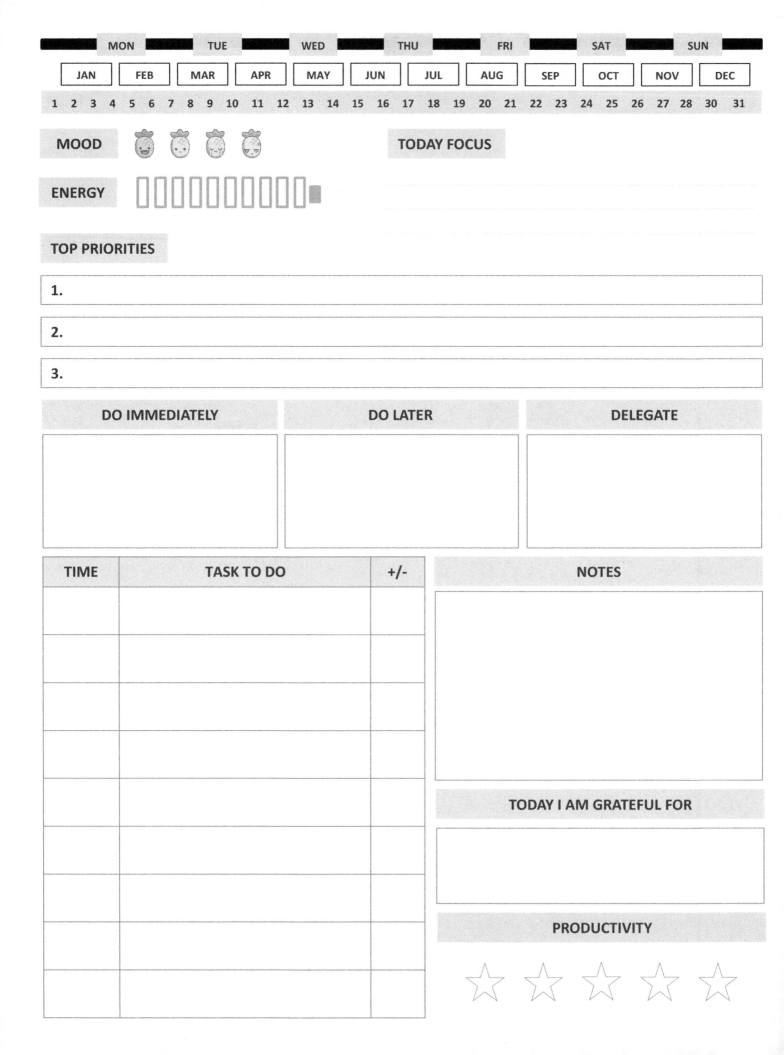

TODAY FOCUS

ENERGY

TOP PRIORITIES

1.

2.

3.

DO IMMEDIATELY	DO LATER	DELEGATE

TIME	TASK TO DO	+/-

NOTES

TODAY I AM GRATEFUL FOR

PRODUCTIVITY

☆ ☆ ☆ ☆ ☆

| MON | TUE | WED | THU | FRI | SAT | SUN |

| JAN | FEB | MAR | APR | MAY | JUN | JUL | AUG | SEP | OCT | NOV | DEC |

1 2 3 4 5 6 7 8 9 10 11 12 13 14 15 16 17 18 19 20 21 22 23 24 25 26 27 28 30 31

MOOD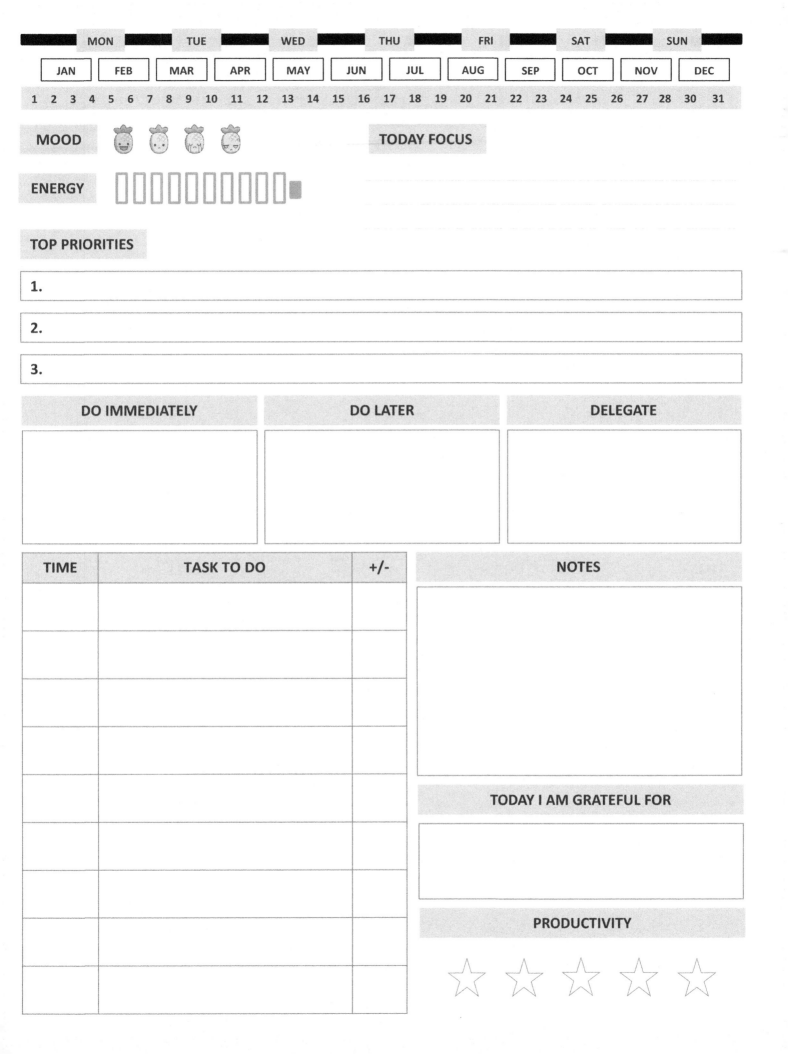

TODAY FOCUS

ENERGY

TOP PRIORITIES

1.

2.

3.

DO IMMEDIATELY	DO LATER	DELEGATE

TIME	TASK TO DO	+/-

NOTES

TODAY I AM GRATEFUL FOR

PRODUCTIVITY

☆ ☆ ☆ ☆ ☆

| MON | TUE | WED | THU | FRI | SAT | SUN |

| JAN | FEB | MAR | APR | MAY | JUN | JUL | AUG | SEP | OCT | NOV | DEC |

1 2 3 4 5 6 7 8 9 10 11 12 13 14 15 16 17 18 19 20 21 22 23 24 25 26 27 28 30 31

MOOD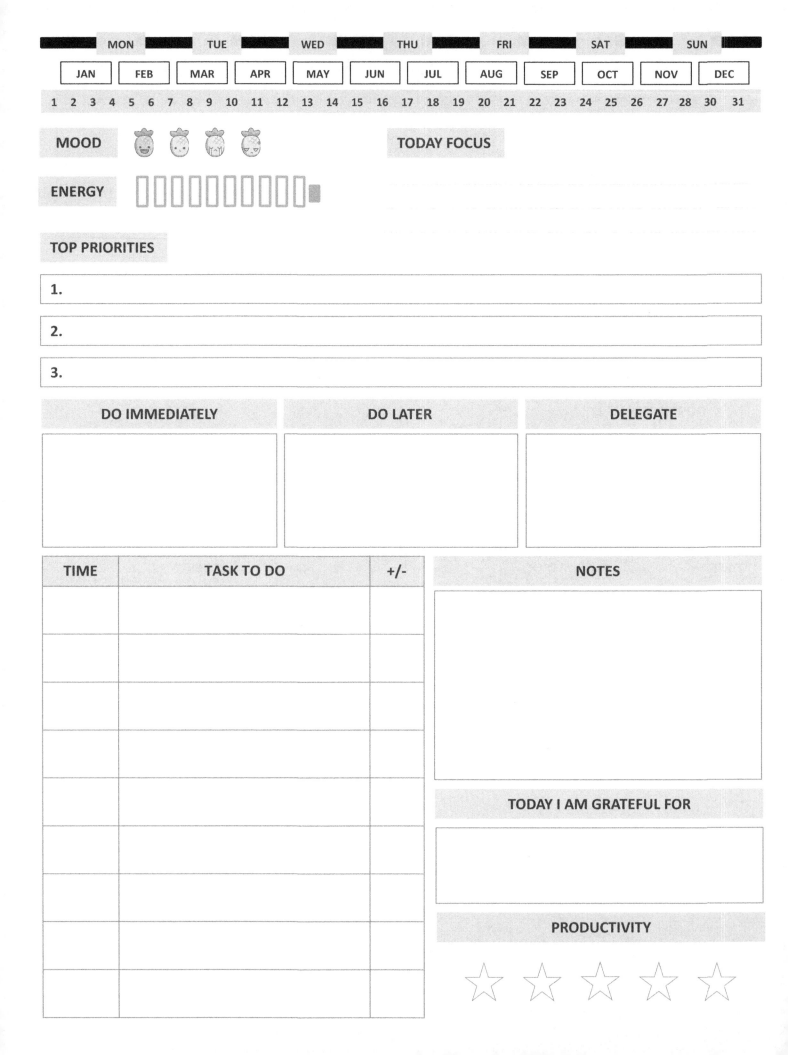

TODAY FOCUS

ENERGY

TOP PRIORITIES

1.

2.

3.

DO IMMEDIATELY	DO LATER	DELEGATE

TIME	TASK TO DO	+/-

NOTES

TODAY I AM GRATEFUL FOR

PRODUCTIVITY

☆ ☆ ☆ ☆ ☆

| MON | TUE | WED | THU | FRI | SAT | SUN |

| JAN | FEB | MAR | APR | MAY | JUN | JUL | AUG | SEP | OCT | NOV | DEC |

1 2 3 4 5 6 7 8 9 10 11 12 13 14 15 16 17 18 19 20 21 22 23 24 25 26 27 28 30 31

MOOD

TODAY FOCUS

ENERGY

TOP PRIORITIES

1.

2.

3.

DO IMMEDIATELY	DO LATER	DELEGATE

TIME	TASK TO DO	+/-

NOTES

TODAY I AM GRATEFUL FOR

PRODUCTIVITY

☆ ☆ ☆ ☆ ☆

MON	TUE	WED	THU	FRI	SAT	SUN

JAN	FEB	MAR	APR	MAY	JUN	JUL	AUG	SEP	OCT	NOV	DEC

1 2 3 4 5 6 7 8 9 10 11 12 13 14 15 16 17 18 19 20 21 22 23 24 25 26 27 28 30 31

MOOD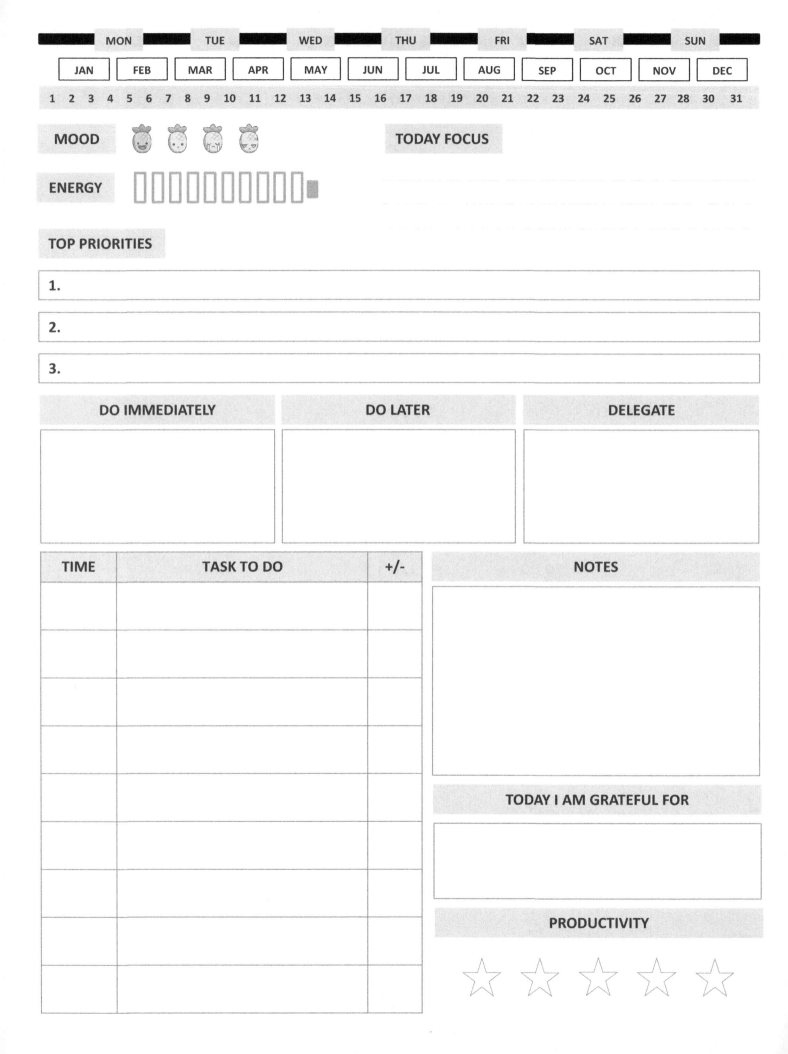

TODAY FOCUS

ENERGY

TOP PRIORITIES

1.

2.

3.

DO IMMEDIATELY	DO LATER	DELEGATE

TIME	TASK TO DO	+/-

NOTES

TODAY I AM GRATEFUL FOR

PRODUCTIVITY

☆ ☆ ☆ ☆ ☆

| | MON | TUE | WED | THU | FRI | SAT | SUN |

| JAN | FEB | MAR | APR | MAY | JUN | JUL | AUG | SEP | OCT | NOV | DEC |

1 2 3 4 5 6 7 8 9 10 11 12 13 14 15 16 17 18 19 20 21 22 23 24 25 26 27 28 30 31

MOOD

TODAY FOCUS

ENERGY ▯▯▯▯▯▯▯▯▯▮

TOP PRIORITIES

1.

2.

3.

DO IMMEDIATELY	DO LATER	DELEGATE

TIME	TASK TO DO	+/-

NOTES

TODAY I AM GRATEFUL FOR

PRODUCTIVITY

☆ ☆ ☆ ☆ ☆

| MON | TUE | WED | THU | FRI | SAT | SUN |

| JAN | FEB | MAR | APR | MAY | JUN | JUL | AUG | SEP | OCT | NOV | DEC |

1 2 3 4 5 6 7 8 9 10 11 12 13 14 15 16 17 18 19 20 21 22 23 24 25 26 27 28 30 31

MOOD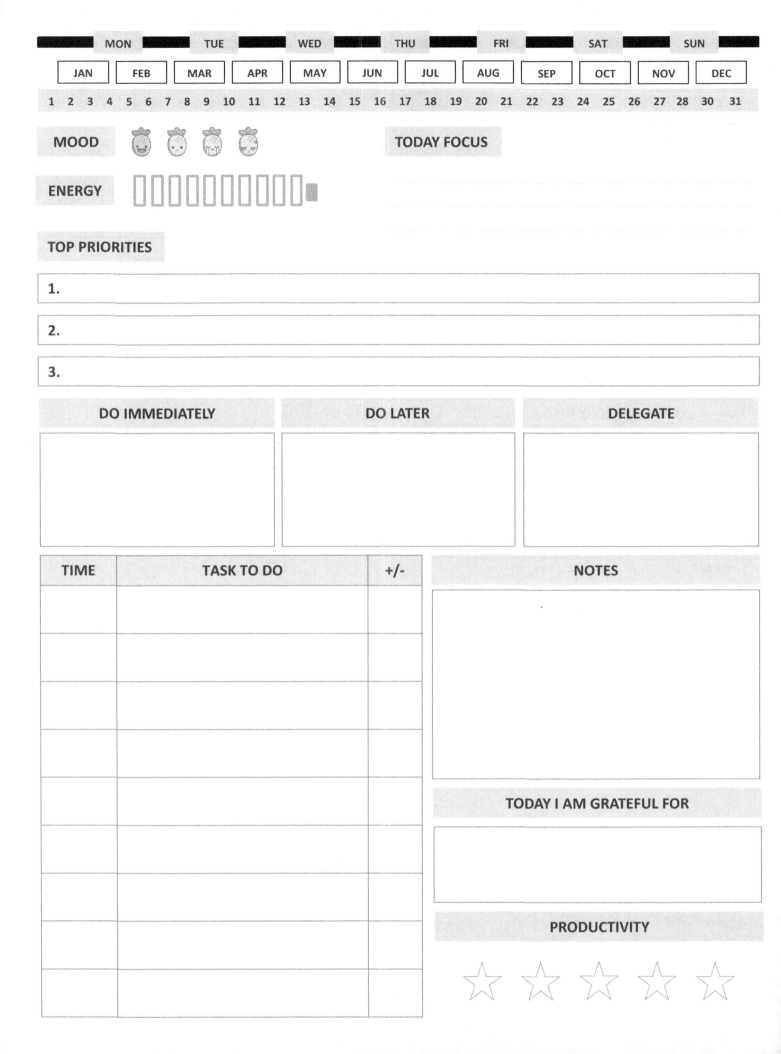

TODAY FOCUS

ENERGY

TOP PRIORITIES

1.

2.

3.

DO IMMEDIATELY	DO LATER	DELEGATE

TIME	TASK TO DO	+/-

NOTES

TODAY I AM GRATEFUL FOR

PRODUCTIVITY

☆ ☆ ☆ ☆ ☆

WEEK 1		WEEK 2		WEEK 3		WEEK 4	

JAN	FEB	MAR	APR	MAY	JUN	JUL	AUG	SEP	OCT	NOV	DEC

WEEK FOCUS

THIS WEEK PRIORITIES

1.

2.

3.

MON	
TUE	
WED	
THU	
FRI	
SAT	
SUN	

NOTES

INSPIRATION

MON	TUE	WED	THU	FRI	SAT	SUN

JAN	FEB	MAR	APR	MAY	JUN	JUL	AUG	SEP	OCT	NOV	DEC

1 2 3 4 5 6 7 8 9 10 11 12 13 14 15 16 17 18 19 20 21 22 23 24 25 26 27 28 30 31

MOOD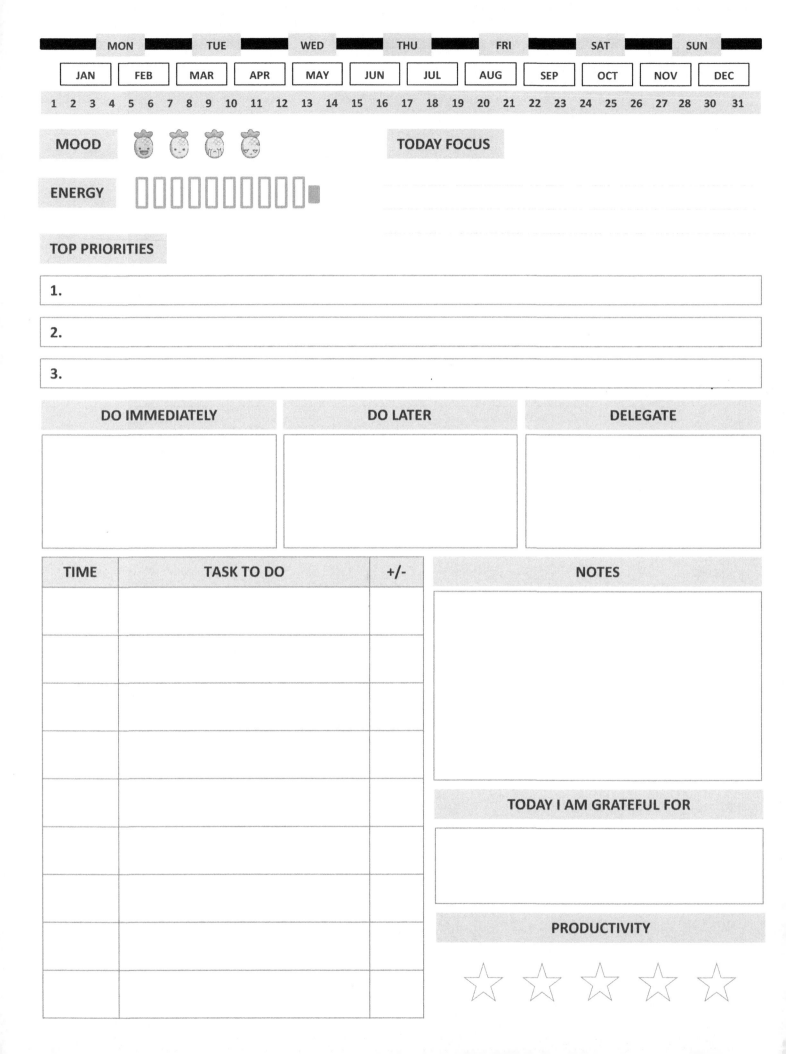

TODAY FOCUS

ENERGY

TOP PRIORITIES

1.

2.

3.

DO IMMEDIATELY	DO LATER	DELEGATE

TIME	TASK TO DO	+/-

NOTES

TODAY I AM GRATEFUL FOR

PRODUCTIVITY

☆ ☆ ☆ ☆ ☆

MON	TUE	WED	THU	FRI	SAT	SUN

JAN	FEB	MAR	APR	MAY	JUN	JUL	AUG	SEP	OCT	NOV	DEC

1 2 3 4 5 6 7 8 9 10 11 12 13 14 15 16 17 18 19 20 21 22 23 24 25 26 27 28 30 31

MOOD

TODAY FOCUS

ENERGY

TOP PRIORITIES

1.

2.

3.

DO IMMEDIATELY	DO LATER	DELEGATE

TIME	TASK TO DO	+/-

NOTES

TODAY I AM GRATEFUL FOR

PRODUCTIVITY

☆ ☆ ☆ ☆ ☆

MON	TUE	WED	THU	FRI	SAT	SUN

JAN	FEB	MAR	APR	MAY	JUN	JUL	AUG	SEP	OCT	NOV	DEC

1 2 3 4 5 6 7 8 9 10 11 12 13 14 15 16 17 18 19 20 21 22 23 24 25 26 27 28 30 31

MOOD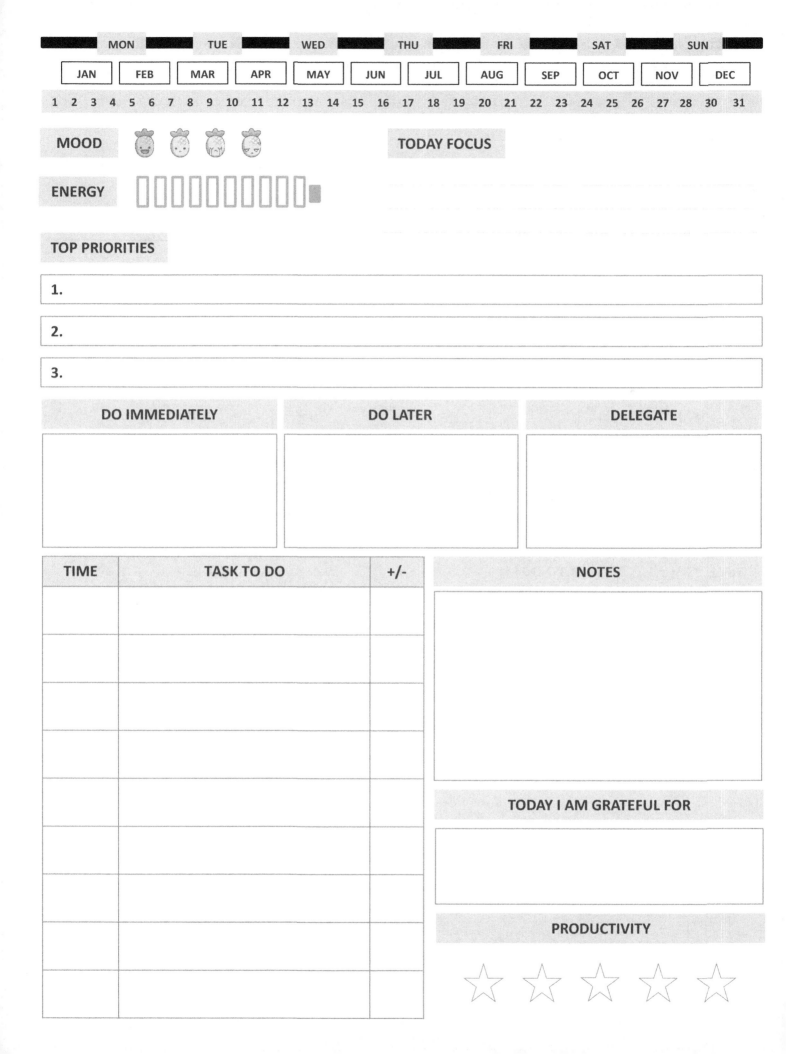

TODAY FOCUS

ENERGY ☐☐☐☐☐☐☐☐☐■

TOP PRIORITIES

1.

2.

3.

DO IMMEDIATELY	DO LATER	DELEGATE

TIME	TASK TO DO	+/-

NOTES

TODAY I AM GRATEFUL FOR

PRODUCTIVITY

☆ ☆ ☆ ☆ ☆

MON	TUE	WED	THU	FRI	SAT	SUN

JAN	FEB	MAR	APR	MAY	JUN	JUL	AUG	SEP	OCT	NOV	DEC

1 2 3 4 5 6 7 8 9 10 11 12 13 14 15 16 17 18 19 20 21 22 23 24 25 26 27 28 30 31

MOOD

ENERGY

TODAY FOCUS

TOP PRIORITIES

1.

2.

3.

DO IMMEDIATELY	DO LATER	DELEGATE

TIME	TASK TO DO	+/-

NOTES

TODAY I AM GRATEFUL FOR

PRODUCTIVITY

☆ ☆ ☆ ☆ ☆

| MON | TUE | WED | THU | FRI | SAT | SUN |

| JAN | FEB | MAR | APR | MAY | JUN | JUL | AUG | SEP | OCT | NOV | DEC |

1 2 3 4 5 6 7 8 9 10 11 12 13 14 15 16 17 18 19 20 21 22 23 24 25 26 27 28 30 31

MOOD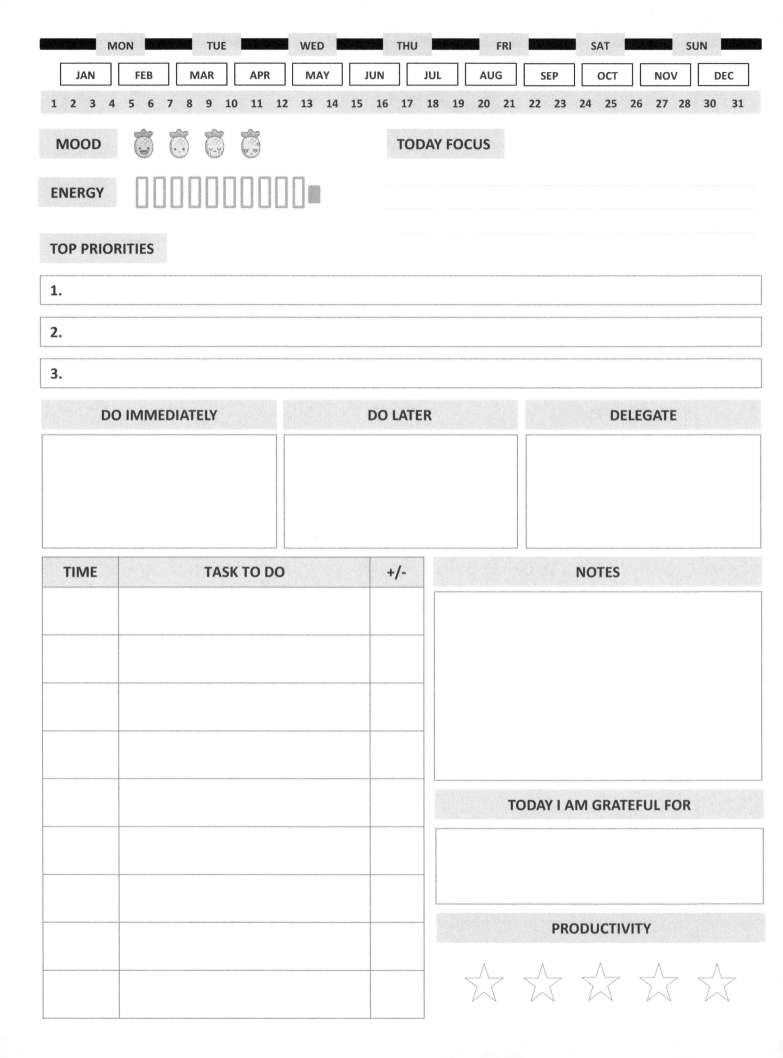

TODAY FOCUS

ENERGY

TOP PRIORITIES

1.

2.

3.

DO IMMEDIATELY	DO LATER	DELEGATE

TIME	TASK TO DO	+/-

NOTES

TODAY I AM GRATEFUL FOR

PRODUCTIVITY

☆ ☆ ☆ ☆ ☆

MON	TUE	WED	THU	FRI	SAT	SUN

JAN	FEB	MAR	APR	MAY	JUN	JUL	AUG	SEP	OCT	NOV	DEC

1 2 3 4 5 6 7 8 9 10 11 12 13 14 15 16 17 18 19 20 21 22 23 24 25 26 27 28 30 31

MOOD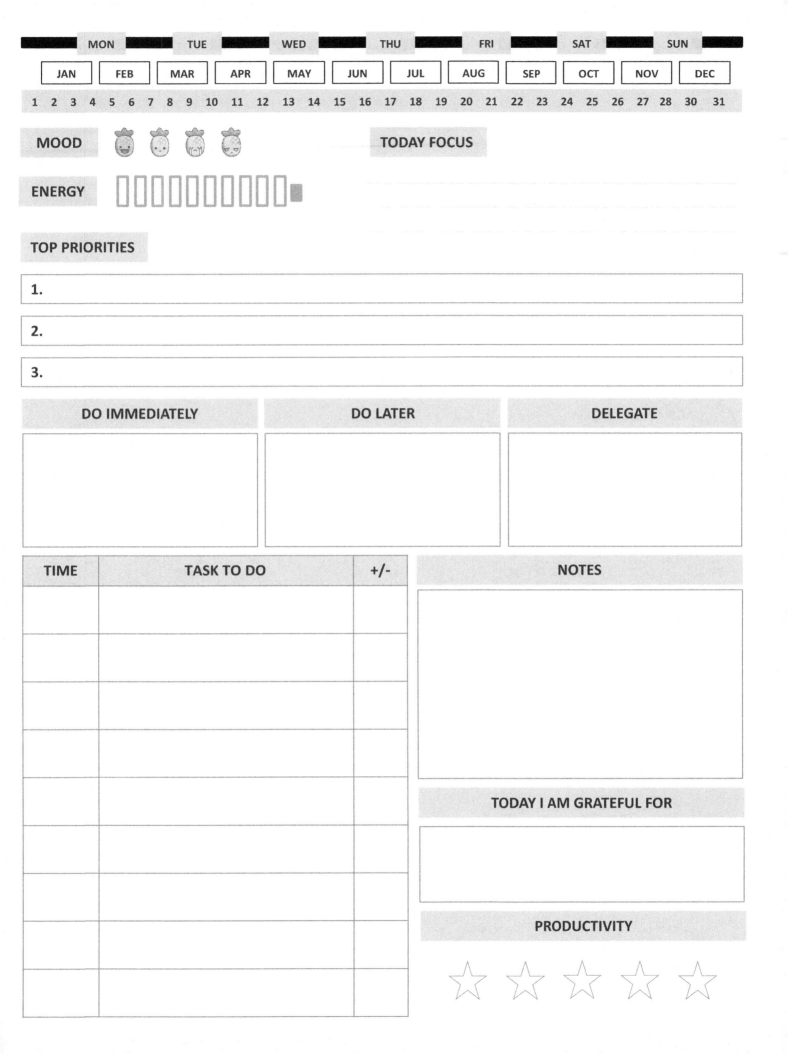

TODAY FOCUS

ENERGY

TOP PRIORITIES

1.

2.

3.

DO IMMEDIATELY	DO LATER	DELEGATE

TIME	TASK TO DO	+/-

NOTES

TODAY I AM GRATEFUL FOR

PRODUCTIVITY

☆ ☆ ☆ ☆ ☆

| MON | TUE | WED | THU | FRI | SAT | SUN |

| JAN | FEB | MAR | APR | MAY | JUN | JUL | AUG | SEP | OCT | NOV | DEC |

1 2 3 4 5 6 7 8 9 10 11 12 13 14 15 16 17 18 19 20 21 22 23 24 25 26 27 28 30 31

MOOD

TODAY FOCUS

ENERGY

TOP PRIORITIES

1.

2.

3.

DO IMMEDIATELY	DO LATER	DELEGATE

TIME	TASK TO DO	+/-

NOTES

TODAY I AM GRATEFUL FOR

PRODUCTIVITY

☆ ☆ ☆ ☆ ☆

WEEK 1 WEEK 2 WEEK 3 WEEK 4

JAN	FEB	MAR	APR	MAY	JUN	JUL	AUG	SEP	OCT	NOV	DEC

WEEK FOCUS

THIS WEEK PRIORITIES

1.

2.

3.

MON

TUE

WED

THU

FRI

SAT

SUN

NOTES

INSPIRATION

MON	TUE	WED	THU	FRI	SAT	SUN

JAN	FEB	MAR	APR	MAY	JUN	JUL	AUG	SEP	OCT	NOV	DEC

1 2 3 4 5 6 7 8 9 10 11 12 13 14 15 16 17 18 19 20 21 22 23 24 25 26 27 28 30 31

MOOD

TODAY FOCUS

ENERGY

TOP PRIORITIES

1.

2.

3.

DO IMMEDIATELY	DO LATER	DELEGATE

TIME	TASK TO DO	+/-

NOTES

TODAY I AM GRATEFUL FOR

PRODUCTIVITY

☆ ☆ ☆ ☆ ☆

| MON | TUE | WED | THU | FRI | SAT | SUN |

| JAN | FEB | MAR | APR | MAY | JUN | JUL | AUG | SEP | OCT | NOV | DEC |

1 2 3 4 5 6 7 8 9 10 11 12 13 14 15 16 17 18 19 20 21 22 23 24 25 26 27 28 30 31

MOOD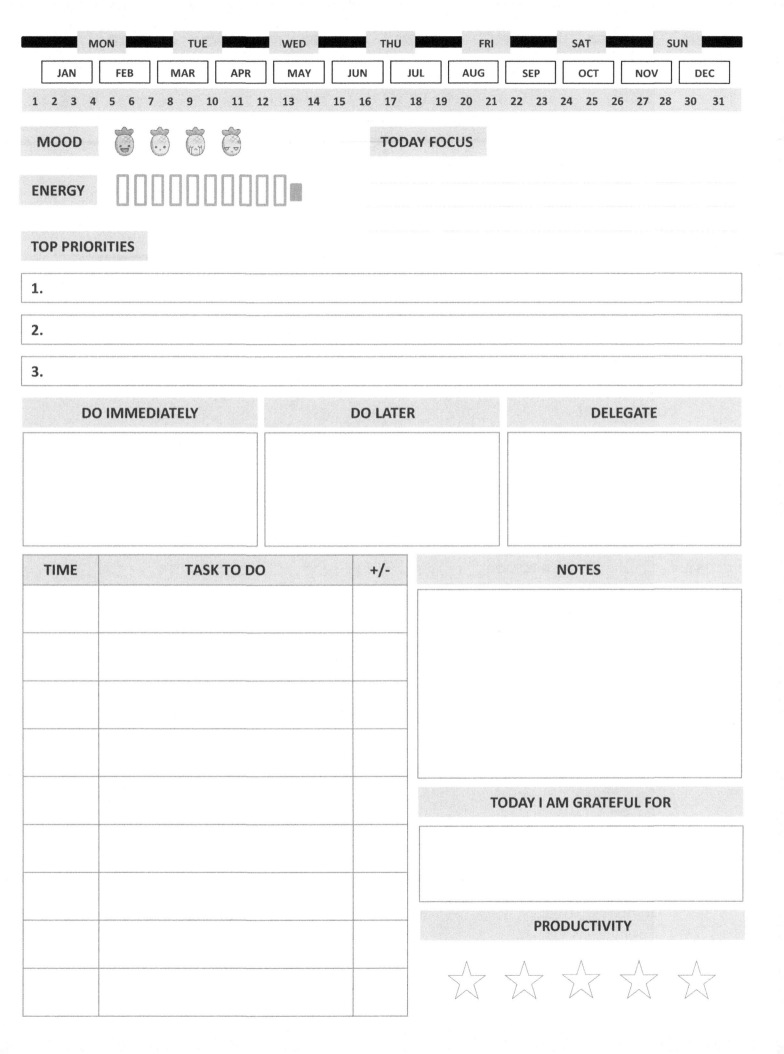

TODAY FOCUS

ENERGY

TOP PRIORITIES

| 1. |
| 2. |
| 3. |

DO IMMEDIATELY	DO LATER	DELEGATE

TIME	TASK TO DO	+/-

NOTES

TODAY I AM GRATEFUL FOR

PRODUCTIVITY

☆ ☆ ☆ ☆ ☆

| MON | TUE | WED | THU | FRI | SAT | SUN |

| JAN | FEB | MAR | APR | MAY | JUN | JUL | AUG | SEP | OCT | NOV | DEC |

1 2 3 4 5 6 7 8 9 10 11 12 13 14 15 16 17 18 19 20 21 22 23 24 25 26 27 28 30 31

MOOD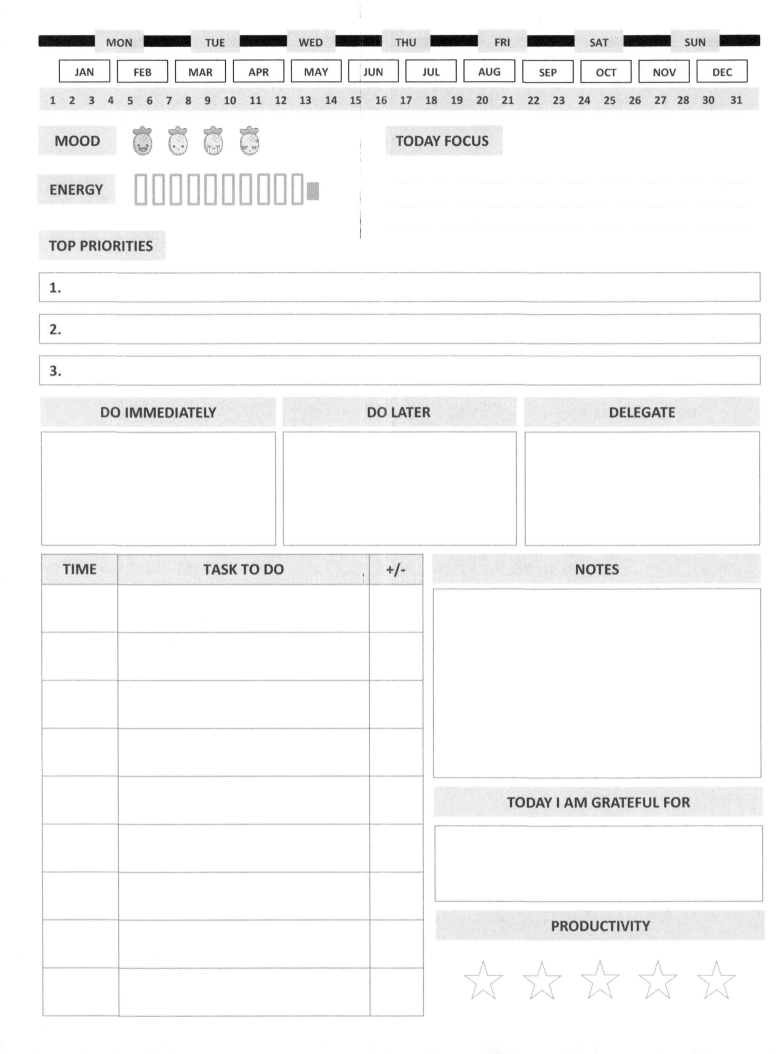

ENERGY

TODAY FOCUS

TOP PRIORITIES

1.

2.

3.

DO IMMEDIATELY	DO LATER	DELEGATE

TIME	TASK TO DO	+/-

NOTES

TODAY I AM GRATEFUL FOR

PRODUCTIVITY

☆ ☆ ☆ ☆ ☆

| MON | TUE | WED | THU | FRI | SAT | SUN |

| JAN | FEB | MAR | APR | MAY | JUN | JUL | AUG | SEP | OCT | NOV | DEC |

1 2 3 4 5 6 7 8 9 10 11 12 13 14 15 16 17 18 19 20 21 22 23 24 25 26 27 28 30 31

MOOD

TODAY FOCUS

ENERGY

TOP PRIORITIES

1.

2.

3.

DO IMMEDIATELY	DO LATER	DELEGATE

TIME	TASK TO DO	+/-	NOTES
			TODAY I AM GRATEFUL FOR
			PRODUCTIVITY
			☆ ☆ ☆ ☆ ☆

| MON | | TUE | | WED | | THU | | FRI | | SAT | | SUN |

| JAN | FEB | MAR | APR | MAY | JUN | JUL | AUG | SEP | OCT | NOV | DEC |

1 2 3 4 5 6 7 8 9 10 11 12 13 14 15 16 17 18 19 20 21 22 23 24 25 26 27 28 30 31

MOOD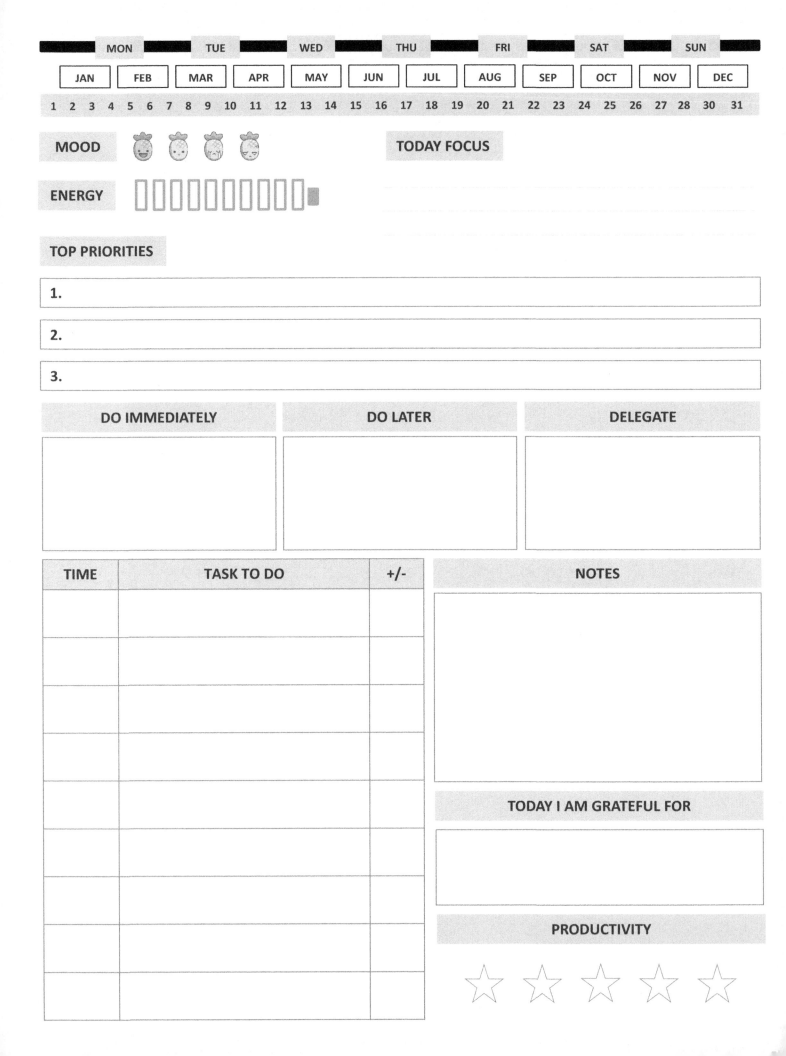

TODAY FOCUS

ENERGY

TOP PRIORITIES

1.

2.

3.

DO IMMEDIATELY	DO LATER	DELEGATE

TIME	TASK TO DO	+/-

NOTES

TODAY I AM GRATEFUL FOR

PRODUCTIVITY

☆ ☆ ☆ ☆ ☆

MON	TUE	WED	THU	FRI	SAT	SUN

JAN	FEB	MAR	APR	MAY	JUN	JUL	AUG	SEP	OCT	NOV	DEC

1 2 3 4 5 6 7 8 9 10 11 12 13 14 15 16 17 18 19 20 21 22 23 24 25 26 27 28 30 31

MOOD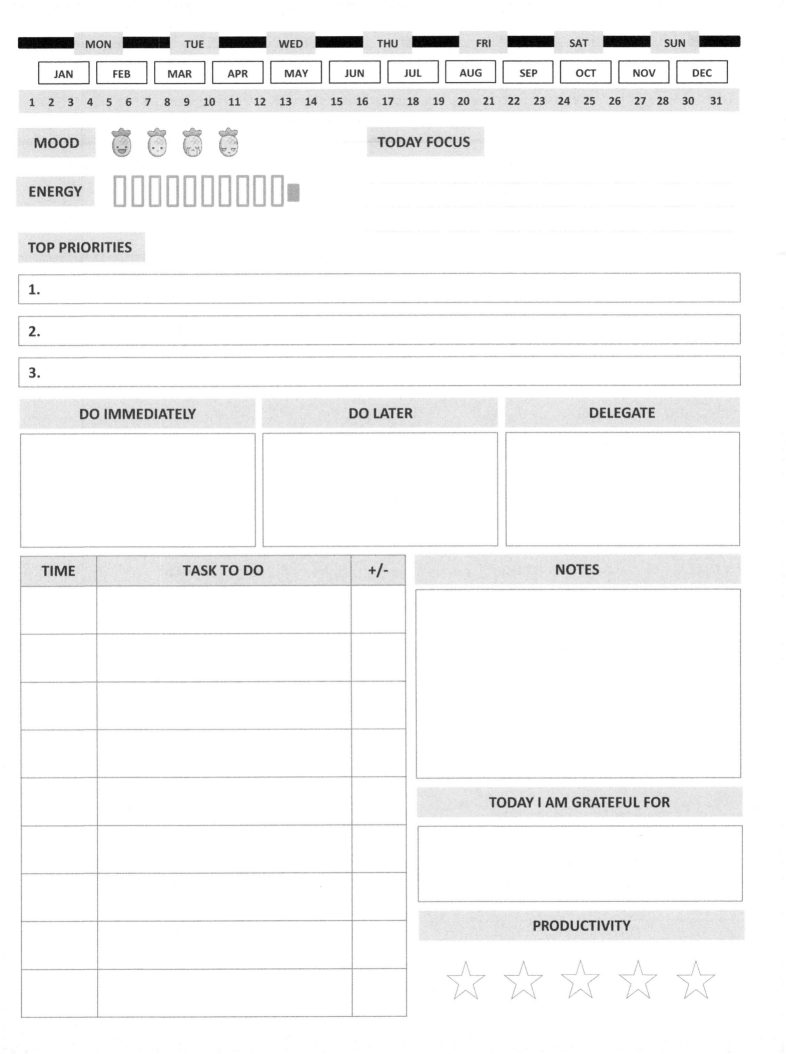

TODAY FOCUS

ENERGY

TOP PRIORITIES

1.

2.

3.

DO IMMEDIATELY	DO LATER	DELEGATE

TIME	TASK TO DO	+/-

NOTES

TODAY I AM GRATEFUL FOR

PRODUCTIVITY

☆ ☆ ☆ ☆ ☆

| MON | TUE | WED | THU | FRI | SAT | SUN |

| JAN | FEB | MAR | APR | MAY | JUN | JUL | AUG | SEP | OCT | NOV | DEC |

1 2 3 4 5 6 7 8 9 10 11 12 13 14 15 16 17 18 19 20 21 22 23 24 25 26 27 28 30 31

MOOD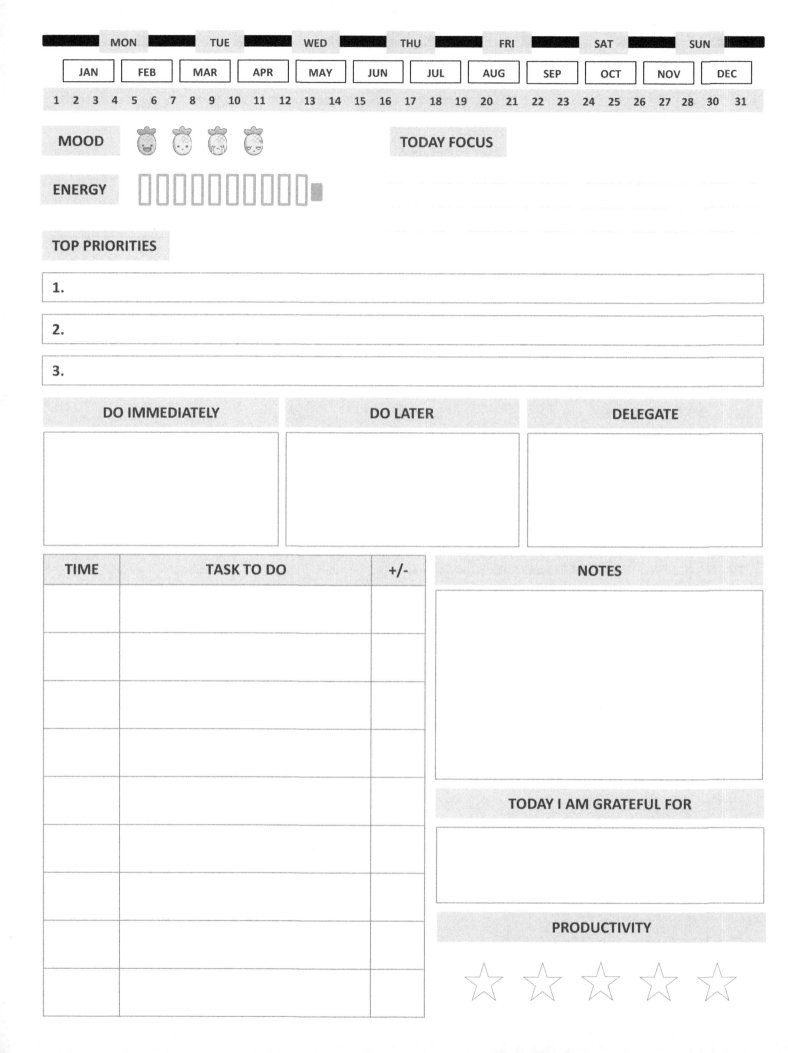

TODAY FOCUS

ENERGY

TOP PRIORITIES

1.

2.

3.

DO IMMEDIATELY	DO LATER	DELEGATE

TIME	TASK TO DO	+/-

NOTES

TODAY I AM GRATEFUL FOR

PRODUCTIVITY

☆ ☆ ☆ ☆ ☆

WEEK 1		WEEK 2		WEEK 3		WEEK 4	
JAN	FEB	MAR	APR	MAY	JUN	JUL	AUG	SEP	OCT	NOV	DEC

WEEK FOCUS

THIS WEEK PRIORITIES

1.

2.

3.

MON	
TUE	
WED	
THU	
FRI	
SAT	
SUN	

NOTES

INSPIRATION

MON	TUE	WED	THU	FRI	SAT	SUN

JAN	FEB	MAR	APR	MAY	JUN	JUL	AUG	SEP	OCT	NOV	DEC

1 2 3 4 5 6 7 8 9 10 11 12 13 14 15 16 17 18 19 20 21 22 23 24 25 26 27 28 30 31

MOOD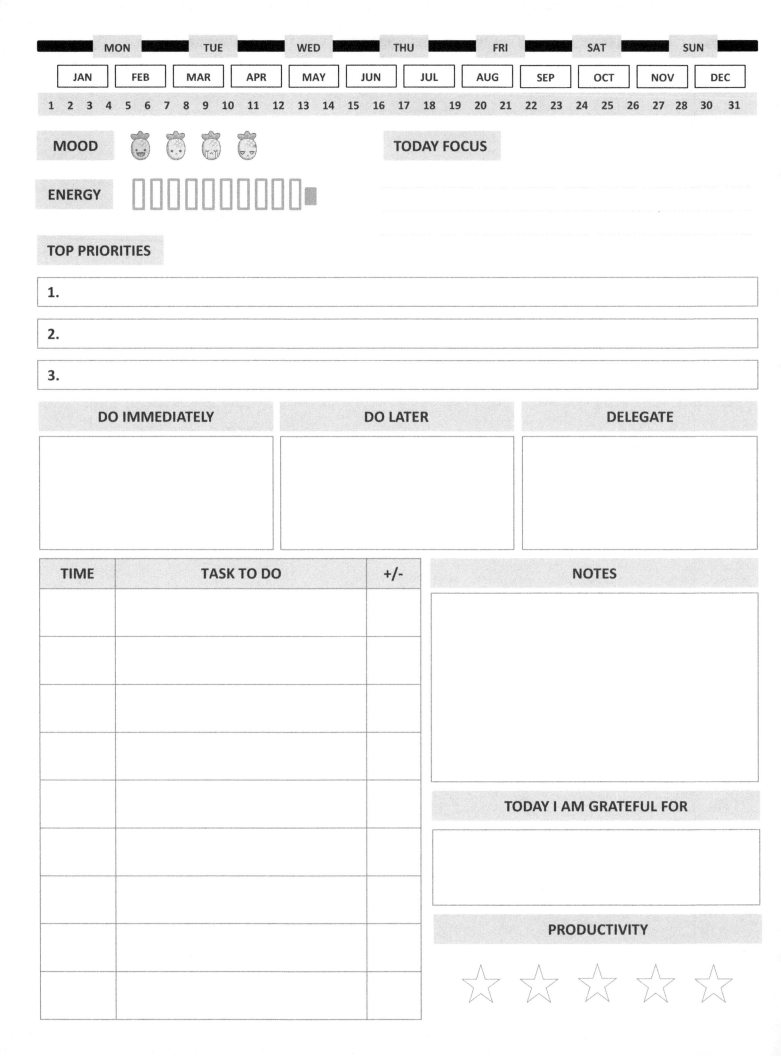

TODAY FOCUS

ENERGY

TOP PRIORITIES

1.

2.

3.

DO IMMEDIATELY	DO LATER	DELEGATE

TIME	TASK TO DO	+/-

NOTES

TODAY I AM GRATEFUL FOR

PRODUCTIVITY

☆ ☆ ☆ ☆ ☆

MON	TUE	WED	THU	FRI	SAT	SUN

JAN	FEB	MAR	APR	MAY	JUN	JUL	AUG	SEP	OCT	NOV	DEC

1 2 3 4 5 6 7 8 9 10 11 12 13 14 15 16 17 18 19 20 21 22 23 24 25 26 27 28 30 31

MOOD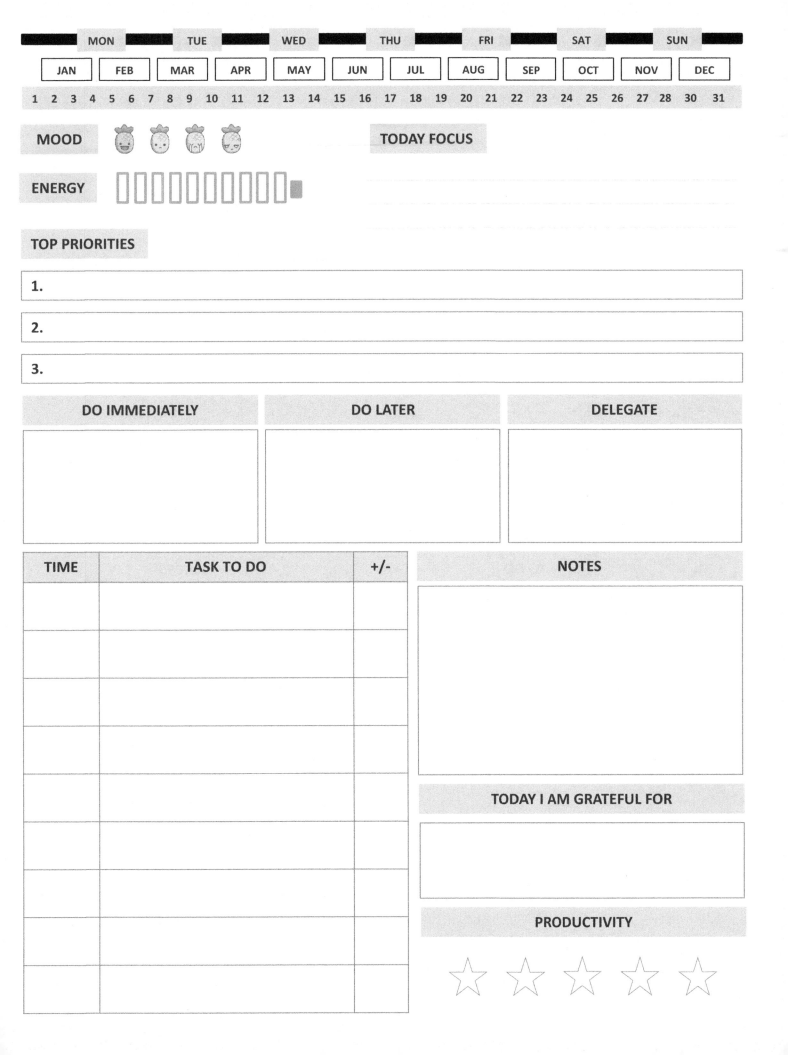

TODAY FOCUS

ENERGY

TOP PRIORITIES

1.

2.

3.

DO IMMEDIATELY	DO LATER	DELEGATE

TIME	TASK TO DO	+/-

NOTES

TODAY I AM GRATEFUL FOR

PRODUCTIVITY

☆ ☆ ☆ ☆ ☆

| MON | TUE | WED | THU | FRI | SAT | SUN |

| JAN | FEB | MAR | APR | MAY | JUN | JUL | AUG | SEP | OCT | NOV | DEC |

1 2 3 4 5 6 7 8 9 10 11 12 13 14 15 16 17 18 19 20 21 22 23 24 25 26 27 28 30 31

MOOD

TODAY FOCUS

ENERGY

TOP PRIORITIES

1.

2.

3.

DO IMMEDIATELY	DO LATER	DELEGATE

TIME	TASK TO DO	+/-

NOTES

TODAY I AM GRATEFUL FOR

PRODUCTIVITY

☆ ☆ ☆ ☆ ☆

MON	TUE	WED	THU	FRI	SAT	SUN

JAN	FEB	MAR	APR	MAY	JUN	JUL	AUG	SEP	OCT	NOV	DEC

1 2 3 4 5 6 7 8 9 10 11 12 13 14 15 16 17 18 19 20 21 22 23 24 25 26 27 28 30 31

MOOD

TODAY FOCUS

ENERGY

TOP PRIORITIES

1.

2.

3.

DO IMMEDIATELY	DO LATER	DELEGATE

TIME	TASK TO DO	+/-

NOTES

TODAY I AM GRATEFUL FOR

PRODUCTIVITY

☆ ☆ ☆ ☆ ☆

MON	TUE	WED	THU	FRI	SAT	SUN

JAN	FEB	MAR	APR	MAY	JUN	JUL	AUG	SEP	OCT	NOV	DEC

1 2 3 4 5 6 7 8 9 10 11 12 13 14 15 16 17 18 19 20 21 22 23 24 25 26 27 28 30 31

MOOD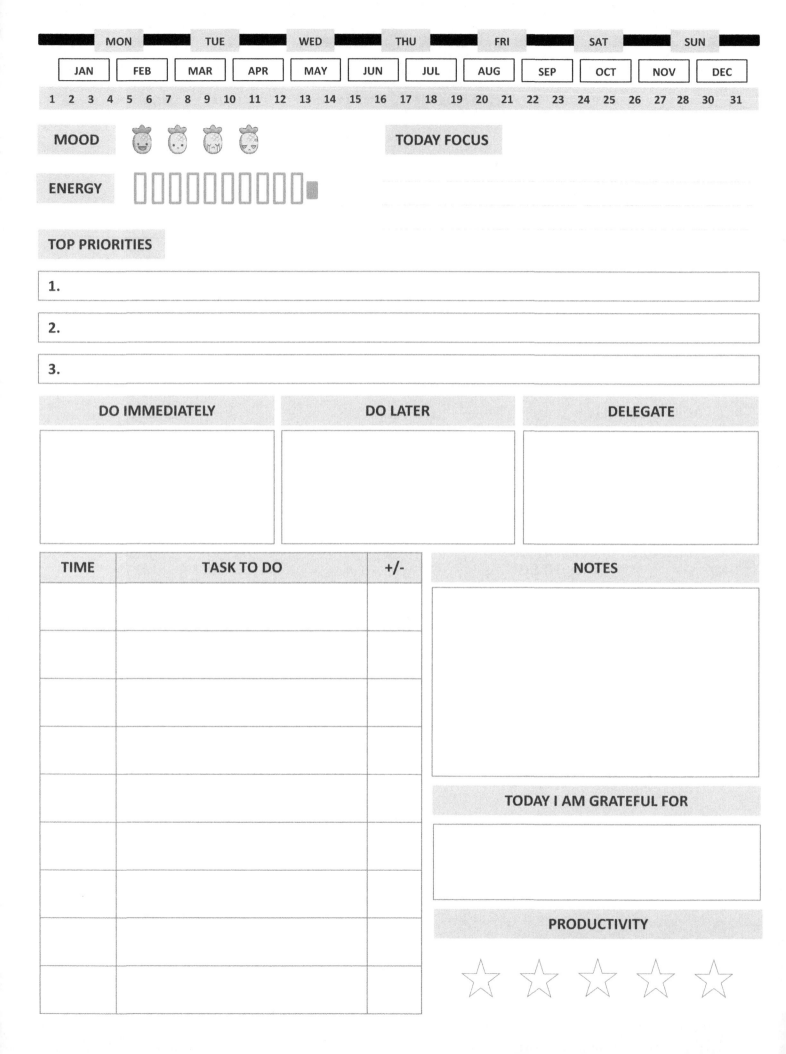

TODAY FOCUS

ENERGY

TOP PRIORITIES

1.

2.

3.

DO IMMEDIATELY	DO LATER	DELEGATE

TIME	TASK TO DO	+/-

NOTES

TODAY I AM GRATEFUL FOR

PRODUCTIVITY

☆ ☆ ☆ ☆ ☆

MON	TUE	WED	THU	FRI	SAT	SUN

JAN	FEB	MAR	APR	MAY	JUN	JUL	AUG	SEP	OCT	NOV	DEC

1 2 3 4 5 6 7 8 9 10 11 12 13 14 15 16 17 18 19 20 21 22 23 24 25 26 27 28 30 31

MOOD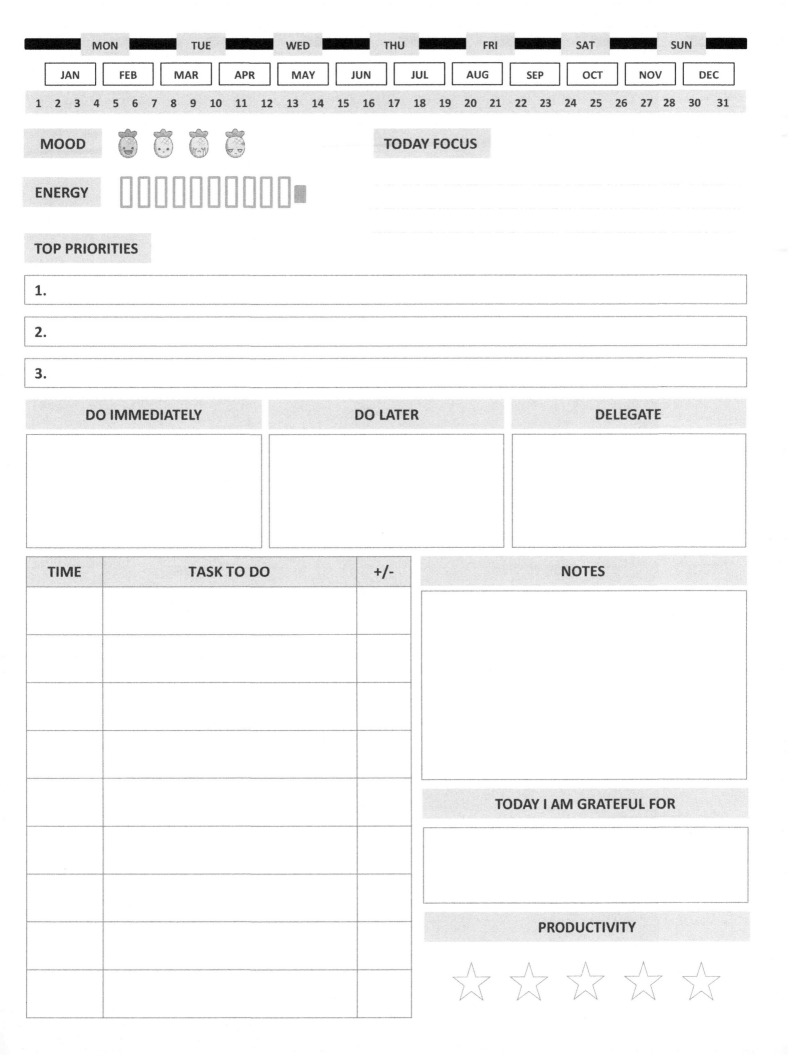

TODAY FOCUS

ENERGY ▢▢▢▢▢▢▢▢▢▮

TOP PRIORITIES

1.

2.

3.

DO IMMEDIATELY	DO LATER	DELEGATE

TIME	TASK TO DO	+/-

NOTES

TODAY I AM GRATEFUL FOR

PRODUCTIVITY

☆ ☆ ☆ ☆ ☆

MON	TUE	WED	THU	FRI	SAT	SUN

JAN	FEB	MAR	APR	MAY	JUN	JUL	AUG	SEP	OCT	NOV	DEC

1 2 3 4 5 6 7 8 9 10 11 12 13 14 15 16 17 18 19 20 21 22 23 24 25 26 27 28 29 30 31

MOOD

TODAY FOCUS

ENERGY

TOP PRIORITIES

1.

2.

3.

DO IMMEDIATELY	DO LATER	DELEGATE

TIME	TASK TO DO	+/-

NOTES

TODAY I AM GRATEFUL FOR

PRODUCTIVITY

☆ ☆ ☆ ☆ ☆

WEEK 1			WEEK 2			WEEK 3			WEEK 4		
JAN	FEB	MAR	APR	MAY	JUN	JUL	AUG	SEP	OCT	NOV	DEC

WEEK FOCUS

THIS WEEK PRIORITIES

1.

2.

3.

MON	
TUE	
WED	
THU	
FRI	
SAT	
SUN	

NOTES

INSPIRATION

| MON | TUE | WED | THU | FRI | SAT | SUN |

| JAN | FEB | MAR | APR | MAY | JUN | JUL | AUG | SEP | OCT | NOV | DEC |

1 2 3 4 5 6 7 8 9 10 11 12 13 14 15 16 17 18 19 20 21 22 23 24 25 26 27 28 30 31

MOOD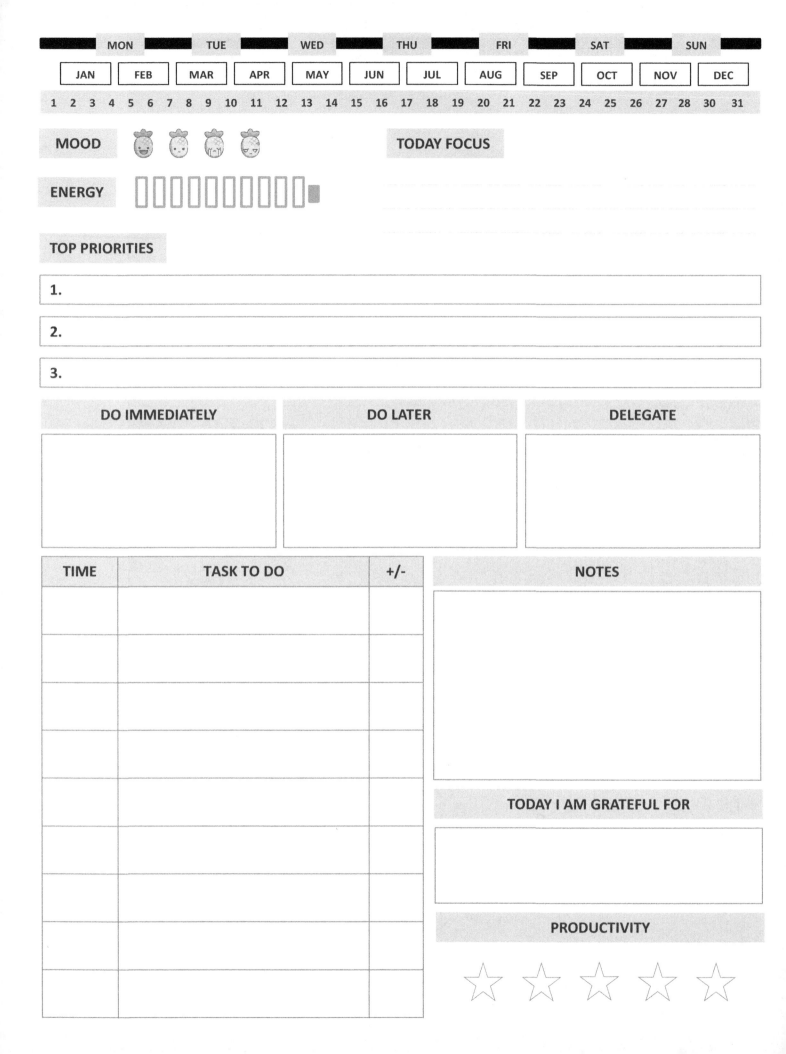

TODAY FOCUS

ENERGY

TOP PRIORITIES

1.

2.

3.

DO IMMEDIATELY	DO LATER	DELEGATE

TIME	TASK TO DO	+/-

NOTES

TODAY I AM GRATEFUL FOR

PRODUCTIVITY

☆ ☆ ☆ ☆ ☆

MON	TUE	WED	THU	FRI	SAT	SUN

JAN	FEB	MAR	APR	MAY	JUN	JUL	AUG	SEP	OCT	NOV	DEC

1 2 3 4 5 6 7 8 9 10 11 12 13 14 15 16 17 18 19 20 21 22 23 24 25 26 27 28 30 31

MOOD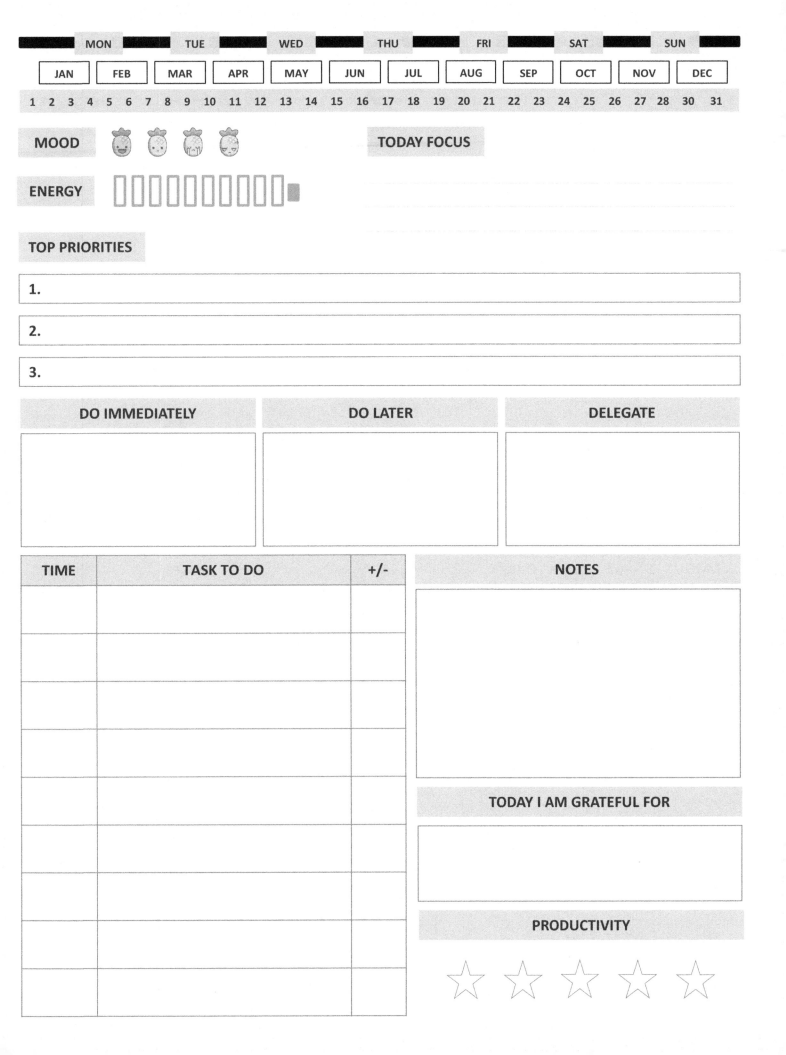

TODAY FOCUS

ENERGY

TOP PRIORITIES

1.

2.

3.

DO IMMEDIATELY	DO LATER	DELEGATE

TIME	TASK TO DO	+/-

NOTES

TODAY I AM GRATEFUL FOR

PRODUCTIVITY

☆ ☆ ☆ ☆ ☆

| MON | TUE | WED | THU | FRI | SAT | SUN |

| JAN | FEB | MAR | APR | MAY | JUN | JUL | AUG | SEP | OCT | NOV | DEC |

1 2 3 4 5 6 7 8 9 10 11 12 13 14 15 16 17 18 19 20 21 22 23 24 25 26 27 28 30 31

MOOD

TODAY FOCUS

ENERGY

TOP PRIORITIES

1.

2.

3.

DO IMMEDIATELY	DO LATER	DELEGATE

TIME	TASK TO DO	+/-

NOTES

TODAY I AM GRATEFUL FOR

PRODUCTIVITY

☆ ☆ ☆ ☆ ☆

MON	TUE	WED	THU	FRI	SAT	SUN

JAN	FEB	MAR	APR	MAY	JUN	JUL	AUG	SEP	OCT	NOV	DEC

1 2 3 4 5 6 7 8 9 10 11 12 13 14 15 16 17 18 19 20 21 22 23 24 25 26 27 28 30 31

MOOD    **TODAY FOCUS**

ENERGY

TOP PRIORITIES

1.

2.

3.

DO IMMEDIATELY	DO LATER	DELEGATE

TIME	TASK TO DO	+/-

NOTES

TODAY I AM GRATEFUL FOR

PRODUCTIVITY

☆ ☆ ☆ ☆ ☆

| MON | | TUE | | WED | | THU | | FRI | | SAT | | SUN |

| JAN | FEB | MAR | APR | MAY | JUN | JUL | AUG | SEP | OCT | NOV | DEC |

1 2 3 4 5 6 7 8 9 10 11 12 13 14 15 16 17 18 19 20 21 22 23 24 25 26 27 28 30 31

MOOD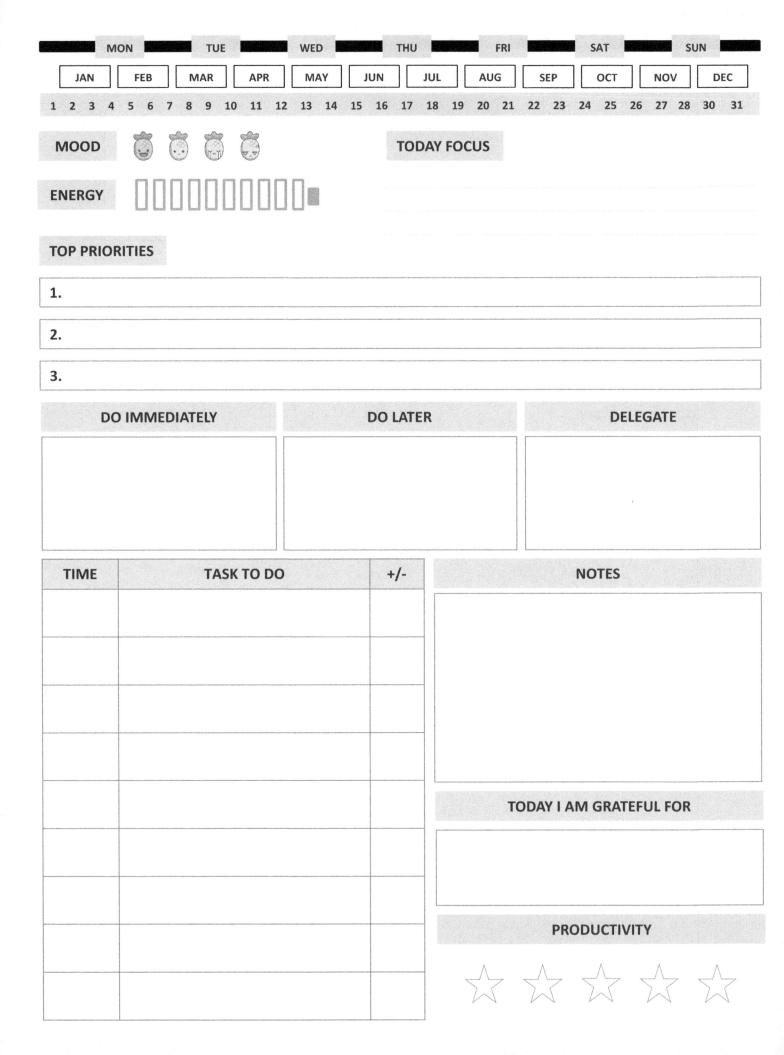

TODAY FOCUS

ENERGY

TOP PRIORITIES

1.

2.

3.

DO IMMEDIATELY	DO LATER	DELEGATE

TIME	TASK TO DO	+/-

NOTES

TODAY I AM GRATEFUL FOR

PRODUCTIVITY

☆ ☆ ☆ ☆ ☆

MON	TUE	WED	THU	FRI	SAT	SUN

JAN	FEB	MAR	APR	MAY	JUN	JUL	AUG	SEP	OCT	NOV	DEC

1 2 3 4 5 6 7 8 9 10 11 12 13 14 15 16 17 18 19 20 21 22 23 24 25 26 27 28 30 31

MOOD

TODAY FOCUS

ENERGY ☐☐☐☐☐☐☐☐☐▪

TOP PRIORITIES

1.

2.

3.

DO IMMEDIATELY	DO LATER	DELEGATE

TIME	TASK TO DO	+/-

NOTES

TODAY I AM GRATEFUL FOR

PRODUCTIVITY

☆ ☆ ☆ ☆ ☆

MON	TUE	WED	THU	FRI	SAT	SUN

JAN	FEB	MAR	APR	MAY	JUN	JUL	AUG	SEP	OCT	NOV	DEC

1 2 3 4 5 6 7 8 9 10 11 12 13 14 15 16 17 18 19 20 21 22 23 24 25 26 27 28 30 31

MOOD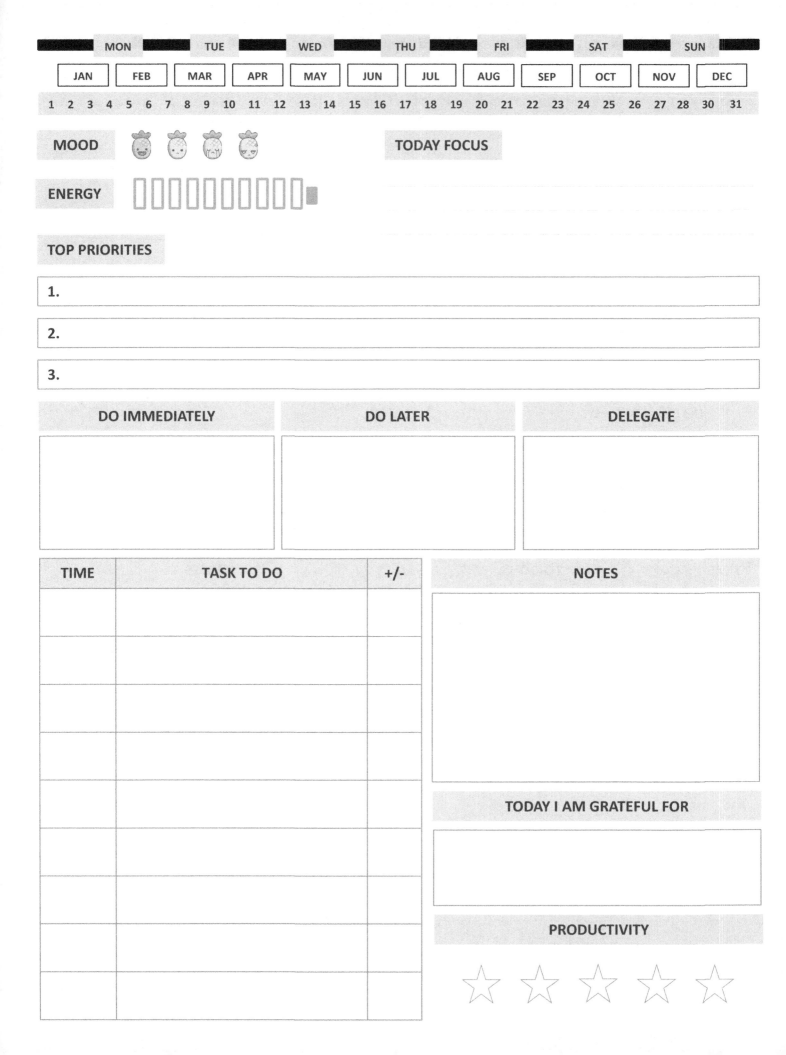

TODAY FOCUS

ENERGY

TOP PRIORITIES

1.

2.

3.

DO IMMEDIATELY	DO LATER	DELEGATE

TIME	TASK TO DO	+/-

NOTES

TODAY I AM GRATEFUL FOR

PRODUCTIVITY

☆ ☆ ☆ ☆ ☆

WEEK 1		WEEK 2		WEEK 3		WEEK 4	

JAN	FEB	MAR	APR	MAY	JUN	JUL	AUG	SEP	OCT	NOV	DEC

WEEK FOCUS

THIS WEEK PRIORITIES

1.

2.

3.

MON	
TUE	
WED	
THU	
FRI	
SAT	
SUN	

NOTES

INSPIRATION

| MON | TUE | WED | THU | FRI | SAT | SUN |

| JAN | FEB | MAR | APR | MAY | JUN | JUL | AUG | SEP | OCT | NOV | DEC |

1 2 3 4 5 6 7 8 9 10 11 12 13 14 15 16 17 18 19 20 21 22 23 24 25 26 27 28 30 31

MOOD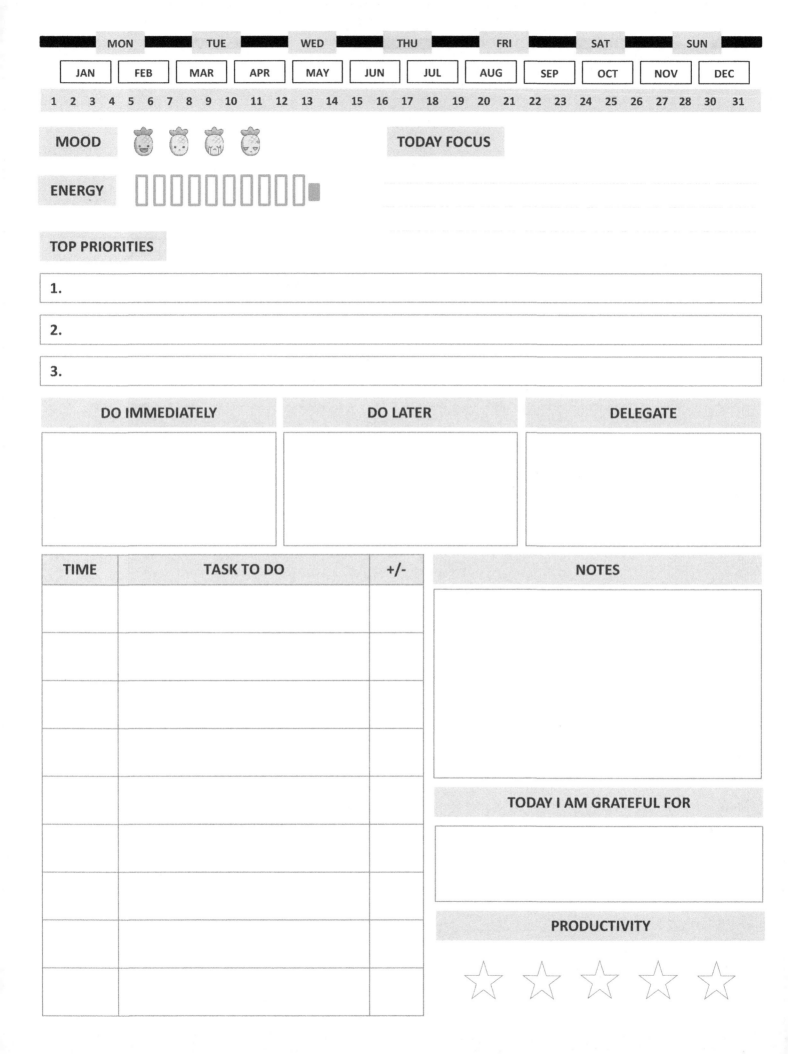

TODAY FOCUS

ENERGY

TOP PRIORITIES

1.

2.

3.

DO IMMEDIATELY	DO LATER	DELEGATE

TIME	TASK TO DO	+/-

NOTES

TODAY I AM GRATEFUL FOR

PRODUCTIVITY

☆ ☆ ☆ ☆ ☆

MON	TUE	WED	THU	FRI	SAT	SUN

JAN	FEB	MAR	APR	MAY	JUN	JUL	AUG	SEP	OCT	NOV	DEC

1 2 3 4 5 6 7 8 9 10 11 12 13 14 15 16 17 18 19 20 21 22 23 24 25 26 27 28 30 31

MOOD

TODAY FOCUS

ENERGY

TOP PRIORITIES

1.

2.

3.

DO IMMEDIATELY	DO LATER	DELEGATE

TIME	TASK TO DO	+/-

NOTES

TODAY I AM GRATEFUL FOR

PRODUCTIVITY

☆ ☆ ☆ ☆ ☆

| MON | TUE | WED | THU | FRI | SAT | SUN |

| JAN | FEB | MAR | APR | MAY | JUN | JUL | AUG | SEP | OCT | NOV | DEC |

1 2 3 4 5 6 7 8 9 10 11 12 13 14 15 16 17 18 19 20 21 22 23 24 25 26 27 28 30 31

MOOD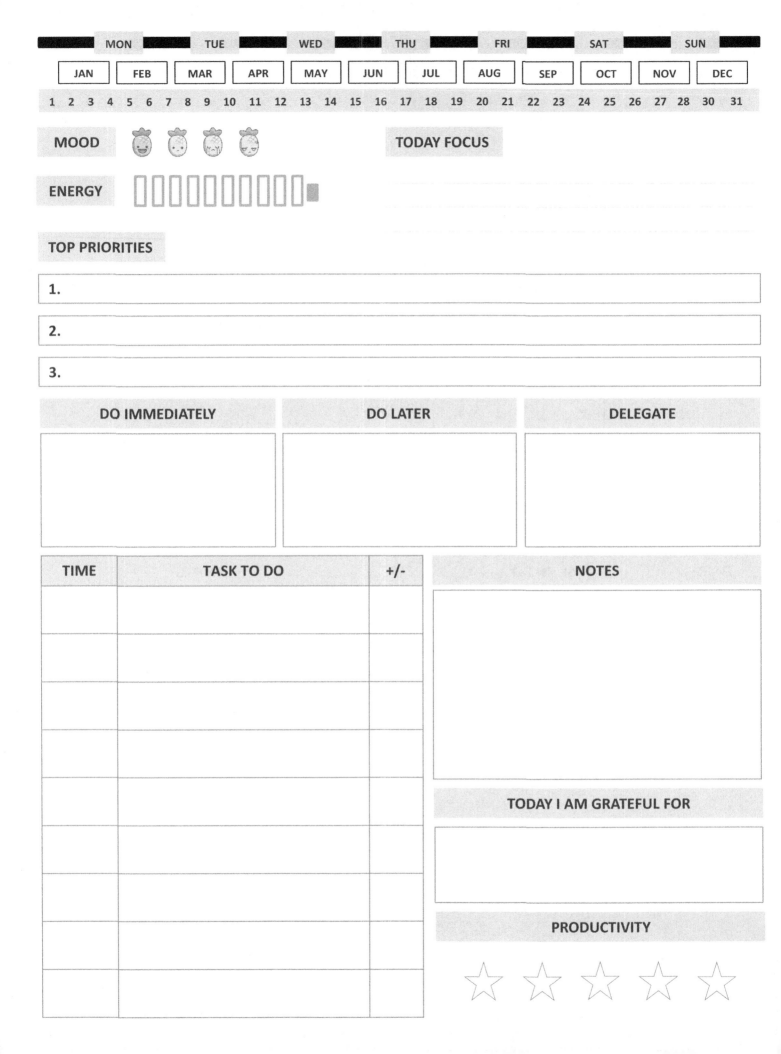

TODAY FOCUS

ENERGY

TOP PRIORITIES

1.

2.

3.

DO IMMEDIATELY	DO LATER	DELEGATE

TIME	TASK TO DO	+/-

NOTES

TODAY I AM GRATEFUL FOR

PRODUCTIVITY

☆ ☆ ☆ ☆ ☆

MON	TUE	WED	THU	FRI	SAT	SUN

JAN	FEB	MAR	APR	MAY	JUN	JUL	AUG	SEP	OCT	NOV	DEC

1 2 3 4 5 6 7 8 9 10 11 12 13 14 15 16 17 18 19 20 21 22 23 24 25 26 27 28 30 31

MOOD

ENERGY

TODAY FOCUS

TOP PRIORITIES

1.

2.

3.

DO IMMEDIATELY	DO LATER	DELEGATE

TIME	TASK TO DO	+/-

NOTES

TODAY I AM GRATEFUL FOR

PRODUCTIVITY

☆ ☆ ☆ ☆ ☆

| MON | TUE | WED | THU | FRI | SAT | SUN |

| JAN | FEB | MAR | APR | MAY | JUN | JUL | AUG | SEP | OCT | NOV | DEC |

1 2 3 4 5 6 7 8 9 10 11 12 13 14 15 16 17 18 19 20 21 22 23 24 25 26 27 28 30 31

MOOD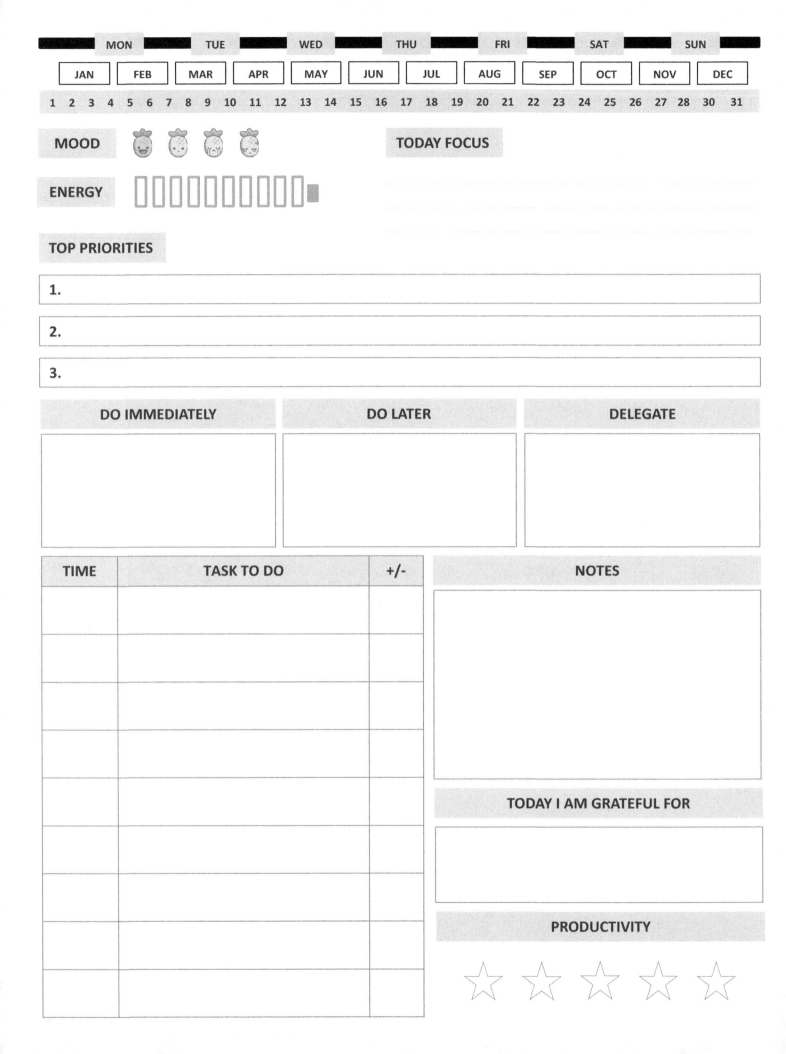

TODAY FOCUS

ENERGY

TOP PRIORITIES

1.

2.

3.

DO IMMEDIATELY	DO LATER	DELEGATE

TIME	TASK TO DO	+/-

NOTES

TODAY I AM GRATEFUL FOR

PRODUCTIVITY

☆ ☆ ☆ ☆ ☆

MON	TUE	WED	THU	FRI	SAT	SUN

JAN	FEB	MAR	APR	MAY	JUN	JUL	AUG	SEP	OCT	NOV	DEC

1　2　3　4　5　6　7　8　9　10　11　12　13　14　15　16　17　18　19　20　21　22　23　24　25　26　27　28　30　31

MOOD　

TODAY FOCUS

ENERGY

TOP PRIORITIES

1.

2.

3.

DO IMMEDIATELY	DO LATER	DELEGATE

TIME	TASK TO DO	+/-

NOTES

TODAY I AM GRATEFUL FOR

PRODUCTIVITY

☆　☆　☆　☆　☆

MON	TUE	WED	THU	FRI	SAT	SUN

JAN	FEB	MAR	APR	MAY	JUN	JUL	AUG	SEP	OCT	NOV	DEC

1 2 3 4 5 6 7 8 9 10 11 12 13 14 15 16 17 18 19 20 21 22 23 24 25 26 27 28 30 31

MOOD

TODAY FOCUS

ENERGY

TOP PRIORITIES

1.

2.

3.

DO IMMEDIATELY	DO LATER	DELEGATE

TIME	TASK TO DO	+/-

NOTES

TODAY I AM GRATEFUL FOR

PRODUCTIVITY

☆ ☆ ☆ ☆ ☆

WEEK 1			WEEK 2			WEEK 3				WEEK 4	
JAN	FEB	MAR	APR	MAY	JUN	JUL	AUG	SEP	OCT	NOV	DEC

WEEK FOCUS

THIS WEEK PRIORITIES

1.

2.

3.

MON	
TUE	
WED	
THU	
FRI	
SAT	
SUN	

NOTES

INSPIRATION

| MON | TUE | WED | THU | FRI | SAT | SUN |

| JAN | FEB | MAR | APR | MAY | JUN | JUL | AUG | SEP | OCT | NOV | DEC |

1 2 3 4 5 6 7 8 9 10 11 12 13 14 15 16 17 18 19 20 21 22 23 24 25 26 27 28 30 31

MOOD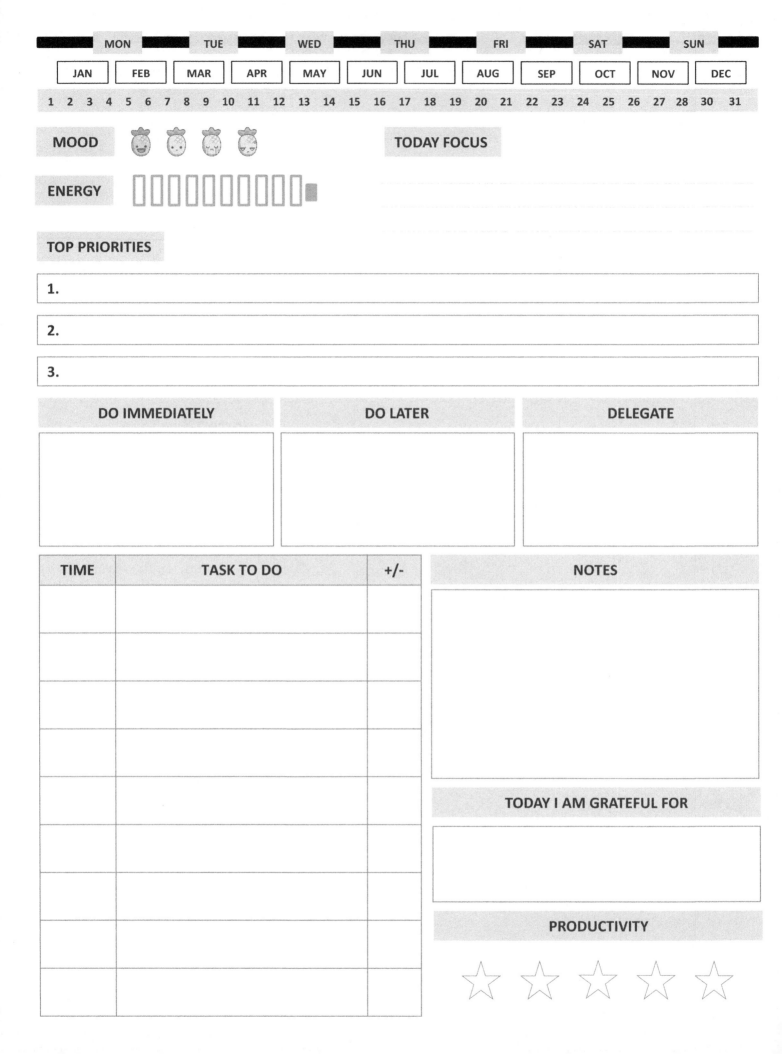

TODAY FOCUS

ENERGY

TOP PRIORITIES

1.

2.

3.

DO IMMEDIATELY	DO LATER	DELEGATE

TIME	TASK TO DO	+/-

NOTES

TODAY I AM GRATEFUL FOR

PRODUCTIVITY

☆ ☆ ☆ ☆ ☆

MON	TUE	WED	THU	FRI	SAT	SUN

JAN	FEB	MAR	APR	MAY	JUN	JUL	AUG	SEP	OCT	NOV	DEC

1 2 3 4 5 6 7 8 9 10 11 12 13 14 15 16 17 18 19 20 21 22 23 24 25 26 27 28 30 31

MOOD 🍍 🍍 🍍 🍍

ENERGY ☐☐☐☐☐☐☐☐☐▪

TODAY FOCUS

TOP PRIORITIES

1.

2.

3.

DO IMMEDIATELY	DO LATER	DELEGATE

TIME	TASK TO DO	+/-

NOTES

TODAY I AM GRATEFUL FOR

PRODUCTIVITY

☆ ☆ ☆ ☆ ☆

MON	TUE	WED	THU	FRI	SAT	SUN

JAN	FEB	MAR	APR	MAY	JUN	JUL	AUG	SEP	OCT	NOV	DEC

1 2 3 4 5 6 7 8 9 10 11 12 13 14 15 16 17 18 19 20 21 22 23 24 25 26 27 28 30 31

MOOD

TODAY FOCUS

ENERGY

TOP PRIORITIES

1.

2.

3.

DO IMMEDIATELY	DO LATER	DELEGATE

TIME	TASK TO DO	+/-

NOTES

TODAY I AM GRATEFUL FOR

PRODUCTIVITY

☆ ☆ ☆ ☆ ☆

MON	TUE	WED	THU	FRI	SAT	SUN

JAN	FEB	MAR	APR	MAY	JUN	JUL	AUG	SEP	OCT	NOV	DEC

1 2 3 4 5 6 7 8 9 10 11 12 13 14 15 16 17 18 19 20 21 22 23 24 25 26 27 28 30 31

MOOD

TODAY FOCUS

ENERGY

TOP PRIORITIES

1.

2.

3.

DO IMMEDIATELY	DO LATER	DELEGATE

TIME	TASK TO DO	+/-

NOTES

TODAY I AM GRATEFUL FOR

PRODUCTIVITY

☆ ☆ ☆ ☆ ☆

| MON | TUE | WED | THU | FRI | SAT | SUN |

| JAN | FEB | MAR | APR | MAY | JUN | JUL | AUG | SEP | OCT | NOV | DEC |

1 2 3 4 5 6 7 8 9 10 11 12 13 14 15 16 17 18 19 20 21 22 23 24 25 26 27 28 30 31

MOOD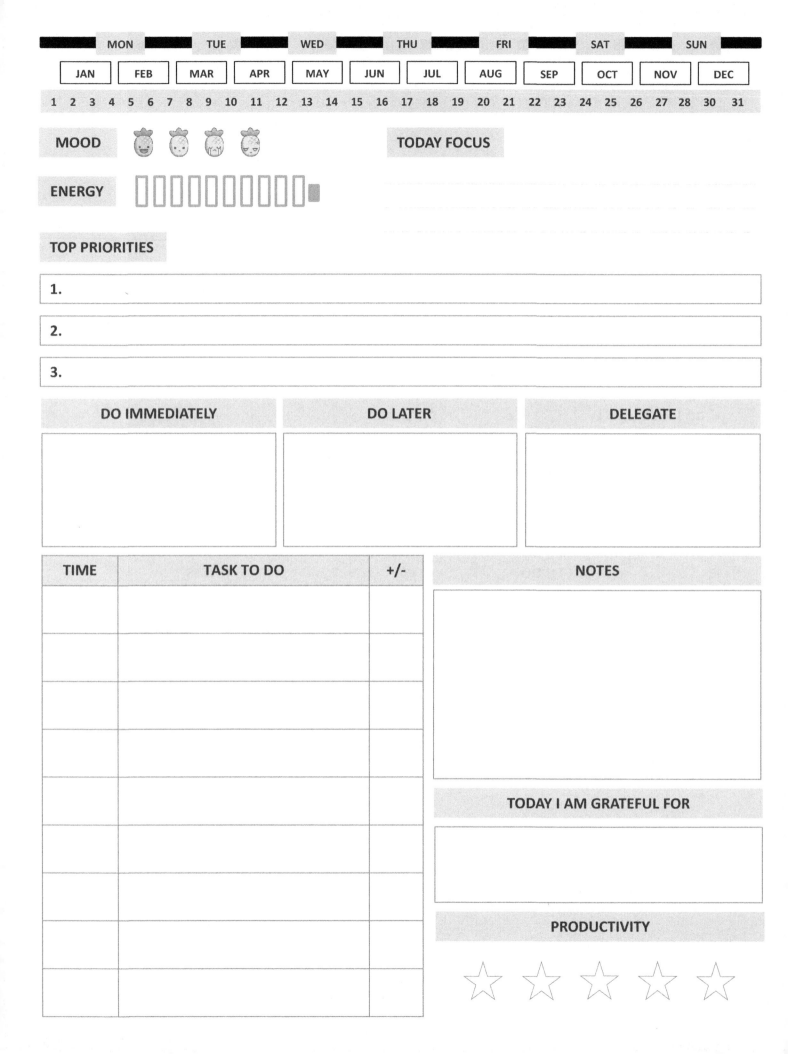

TODAY FOCUS

ENERGY

TOP PRIORITIES

1.

2.

3.

DO IMMEDIATELY	DO LATER	DELEGATE

TIME	TASK TO DO	+/-

NOTES

TODAY I AM GRATEFUL FOR

PRODUCTIVITY

☆ ☆ ☆ ☆ ☆

| MON | TUE | WED | THU | FRI | SAT | SUN |

| JAN | FEB | MAR | APR | MAY | JUN | JUL | AUG | SEP | OCT | NOV | DEC |

1 2 3 4 5 6 7 8 9 10 11 12 13 14 15 16 17 18 19 20 21 22 23 24 25 26 27 28 30 31

MOOD

TODAY FOCUS

ENERGY

TOP PRIORITIES

1.

2.

3.

DO IMMEDIATELY	DO LATER	DELEGATE

TIME	TASK TO DO	+/-

NOTES

TODAY I AM GRATEFUL FOR

PRODUCTIVITY

☆ ☆ ☆ ☆ ☆

MON	TUE	WED	THU	FRI	SAT	SUN

JAN	FEB	MAR	APR	MAY	JUN	JUL	AUG	SEP	OCT	NOV	DEC

1 2 3 4 5 6 7 8 9 10 11 12 13 14 15 16 17 18 19 20 21 22 23 24 25 26 27 28 30 31

MOOD 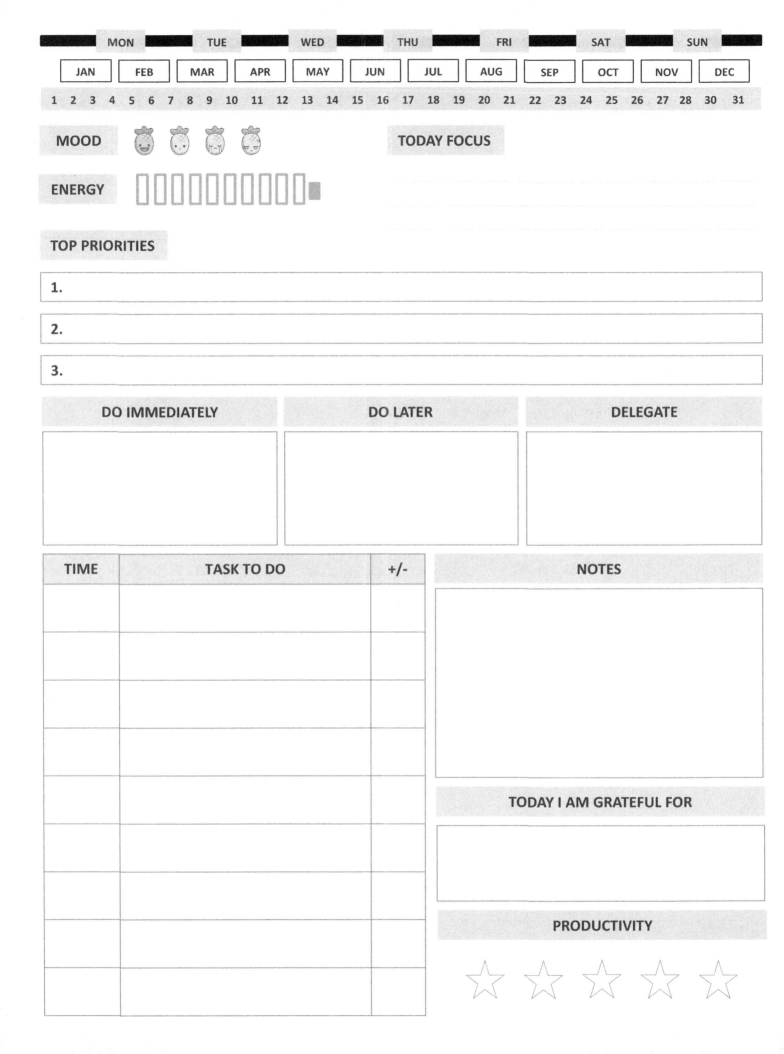　　**TODAY FOCUS**

ENERGY

TOP PRIORITIES

1.

2.

3.

DO IMMEDIATELY	DO LATER	DELEGATE

TIME	TASK TO DO	+/-

NOTES

TODAY I AM GRATEFUL FOR

PRODUCTIVITY

☆ ☆ ☆ ☆ ☆

| WEEK 1 | | WEEK 2 | | WEEK 3 | | WEEK 4 | |

| JAN | FEB | MAR | APR | MAY | JUN | JUL | AUG | SEP | OCT | NOV | DEC |

WEEK FOCUS

THIS WEEK PRIORITIES

1.

2.

3.

MON	
TUE	
WED	
THU	
FRI	
SAT	
SUN	

NOTES

INSPIRATION

MON	TUE	WED	THU	FRI	SAT	SUN

JAN	FEB	MAR	APR	MAY	JUN	JUL	AUG	SEP	OCT	NOV	DEC

1 2 3 4 5 6 7 8 9 10 11 12 13 14 15 16 17 18 19 20 21 22 23 24 25 26 27 28 30 31

MOOD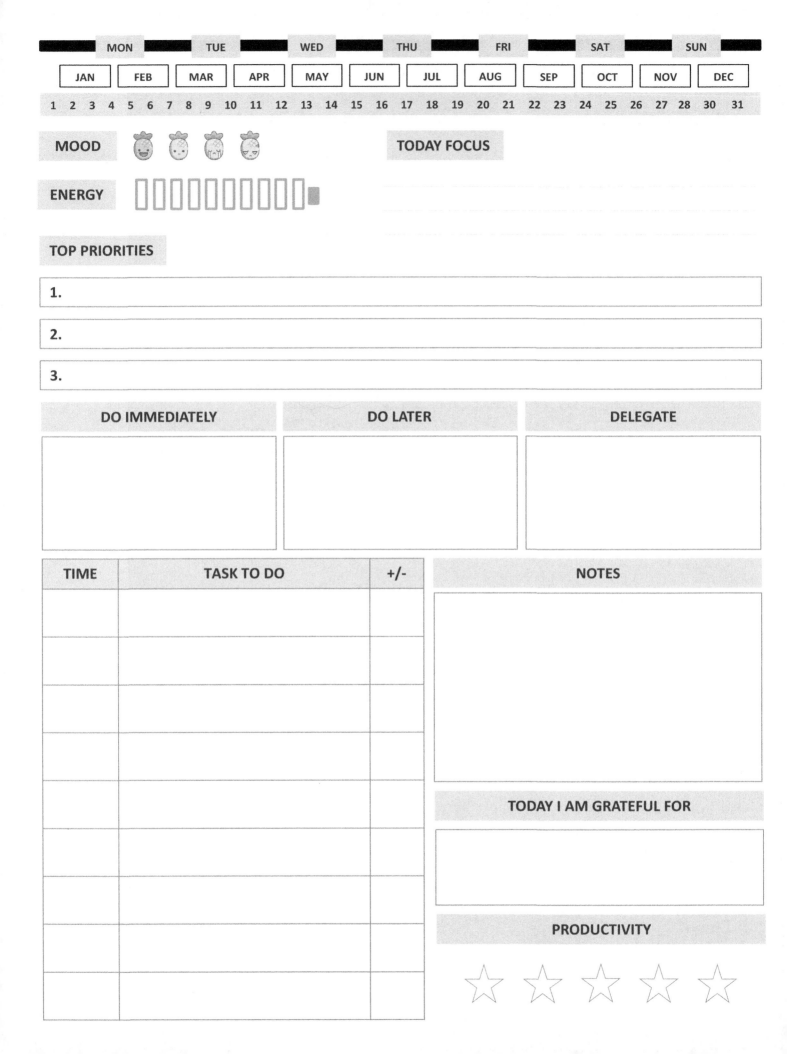

TODAY FOCUS

ENERGY

TOP PRIORITIES

1.

2.

3.

DO IMMEDIATELY	DO LATER	DELEGATE

TIME	TASK TO DO	+/-

NOTES

TODAY I AM GRATEFUL FOR

PRODUCTIVITY

☆ ☆ ☆ ☆ ☆

| MON | TUE | WED | THU | FRI | SAT | SUN |

| JAN | FEB | MAR | APR | MAY | JUN | JUL | AUG | SEP | OCT | NOV | DEC |

1 2 3 4 5 6 7 8 9 10 11 12 13 14 15 16 17 18 19 20 21 22 23 24 25 26 27 28 30 31

MOOD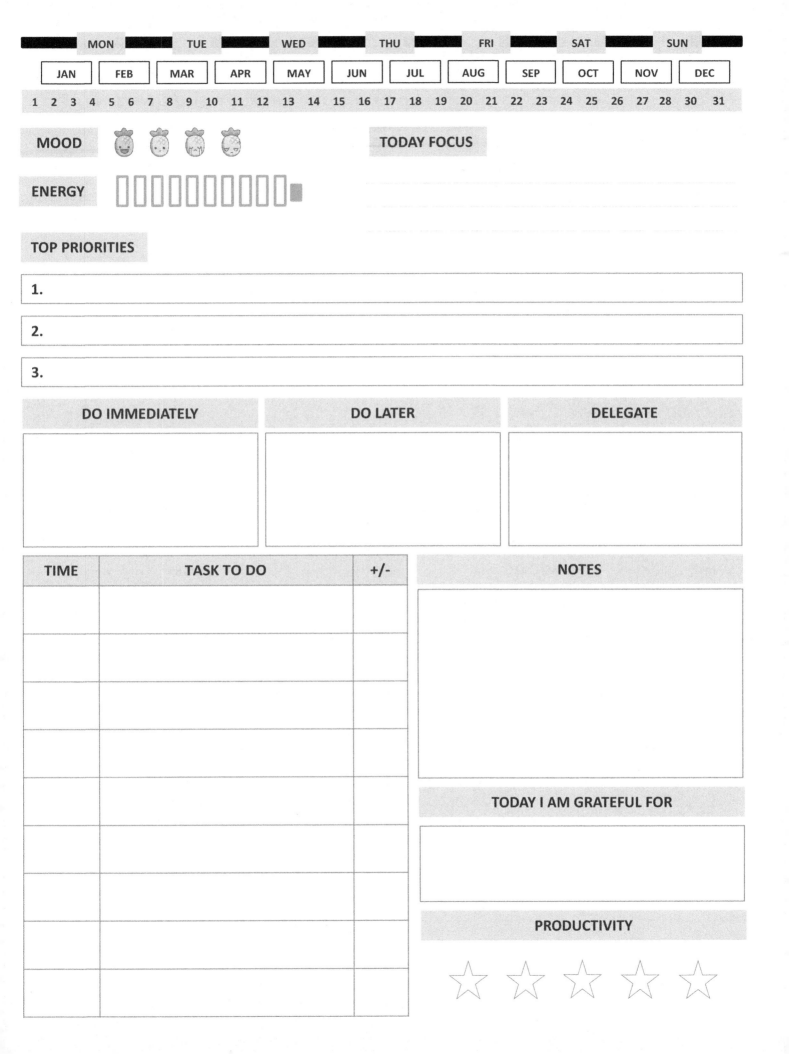

TODAY FOCUS

ENERGY

TOP PRIORITIES

1.

2.

3.

DO IMMEDIATELY	DO LATER	DELEGATE

TIME	TASK TO DO	+/-	NOTES

TODAY I AM GRATEFUL FOR

PRODUCTIVITY

☆ ☆ ☆ ☆ ☆

MON		TUE		WED		THU		FRI		SAT		SUN	

JAN	FEB	MAR	APR	MAY	JUN	JUL	AUG	SEP	OCT	NOV	DEC

1 2 3 4 5 6 7 8 9 10 11 12 13 14 15 16 17 18 19 20 21 22 23 24 25 26 27 28 30 31

MOOD

TODAY FOCUS

ENERGY

TOP PRIORITIES

1.

2.

3.

DO IMMEDIATELY	DO LATER	DELEGATE

TIME	TASK TO DO	+/-

NOTES

TODAY I AM GRATEFUL FOR

PRODUCTIVITY

☆ ☆ ☆ ☆ ☆

| MON | TUE | WED | THU | FRI | SAT | SUN |

| JAN | FEB | MAR | APR | MAY | JUN | JUL | AUG | SEP | OCT | NOV | DEC |

1 2 3 4 5 6 7 8 9 10 11 12 13 14 15 16 17 18 19 20 21 22 23 24 25 26 27 28 30 31

MOOD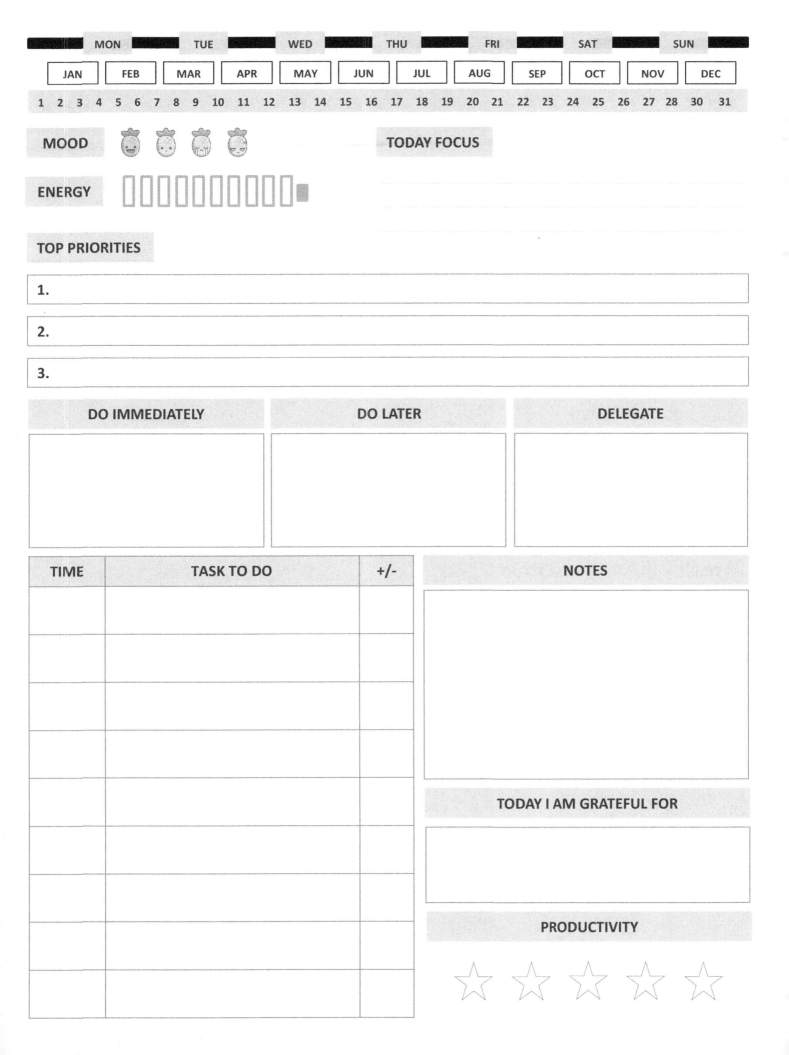

ENERGY

TODAY FOCUS

TOP PRIORITIES

1.

2.

3.

DO IMMEDIATELY	DO LATER	DELEGATE

TIME	TASK TO DO	+/-

NOTES

TODAY I AM GRATEFUL FOR

PRODUCTIVITY

☆ ☆ ☆ ☆ ☆

MON		TUE		WED		THU		FRI		SAT		SUN

JAN	FEB	MAR	APR	MAY	JUN	JUL	AUG	SEP	OCT	NOV	DEC

1　2　3　4　5　6　7　8　9　10　11　12　13　14　15　16　17　18　19　20　21　22　23　24　25　26　27　28　30　31

MOOD 　　　**TODAY FOCUS**

ENERGY ☐☐☐☐☐☐☐☐☐▮

TOP PRIORITIES

1.

2.

3.

DO IMMEDIATELY	DO LATER	DELEGATE

TIME	TASK TO DO	+/-

NOTES

TODAY I AM GRATEFUL FOR

PRODUCTIVITY

☆　☆　☆　☆　☆

	MON		TUE		WED		THU		FRI		SAT		SUN	

JAN	FEB	MAR	APR	MAY	JUN	JUL	AUG	SEP	OCT	NOV	DEC

1 2 3 4 5 6 7 8 9 10 11 12 13 14 15 16 17 18 19 20 21 22 23 24 25 26 27 28 30 31

MOOD

TODAY FOCUS

ENERGY

TOP PRIORITIES

1.

2.

3.

DO IMMEDIATELY	DO LATER	DELEGATE

TIME	TASK TO DO	+/-

NOTES

TODAY I AM GRATEFUL FOR

PRODUCTIVITY

☆ ☆ ☆ ☆ ☆

MON	TUE	WED	THU	FRI	SAT	SUN

JAN	FEB	MAR	APR	MAY	JUN	JUL	AUG	SEP	OCT	NOV	DEC

1 2 3 4 5 6 7 8 9 10 11 12 13 14 15 16 17 18 19 20 21 22 23 24 25 26 27 28 30 31

MOOD

TODAY FOCUS

ENERGY

TOP PRIORITIES

1.

2.

3.

DO IMMEDIATELY	DO LATER	DELEGATE

TIME	TASK TO DO	+/-

NOTES

TODAY I AM GRATEFUL FOR

PRODUCTIVITY

☆ ☆ ☆ ☆ ☆

WEEK 1		WEEK 2			WEEK 3			WEEK 4		
JAN	FEB	MAR	APR	MAY	JUN	JUL	AUG	SEP	OCT	NOV	DEC

WEEK FOCUS

THIS WEEK PRIORITIES

1.

2.

3.

		NOTES
MON		
TUE		
WED		
THU		
FRI		**INSPIRATION**
SAT		
SUN		

	MON		TUE		WED		THU		FRI		SAT		SUN	

JAN	FEB	MAR	APR	MAY	JUN	JUL	AUG	SEP	OCT	NOV	DEC

1 2 3 4 5 6 7 8 9 10 11 12 13 14 15 16 17 18 19 20 21 22 23 24 25 26 27 28 30 31

MOOD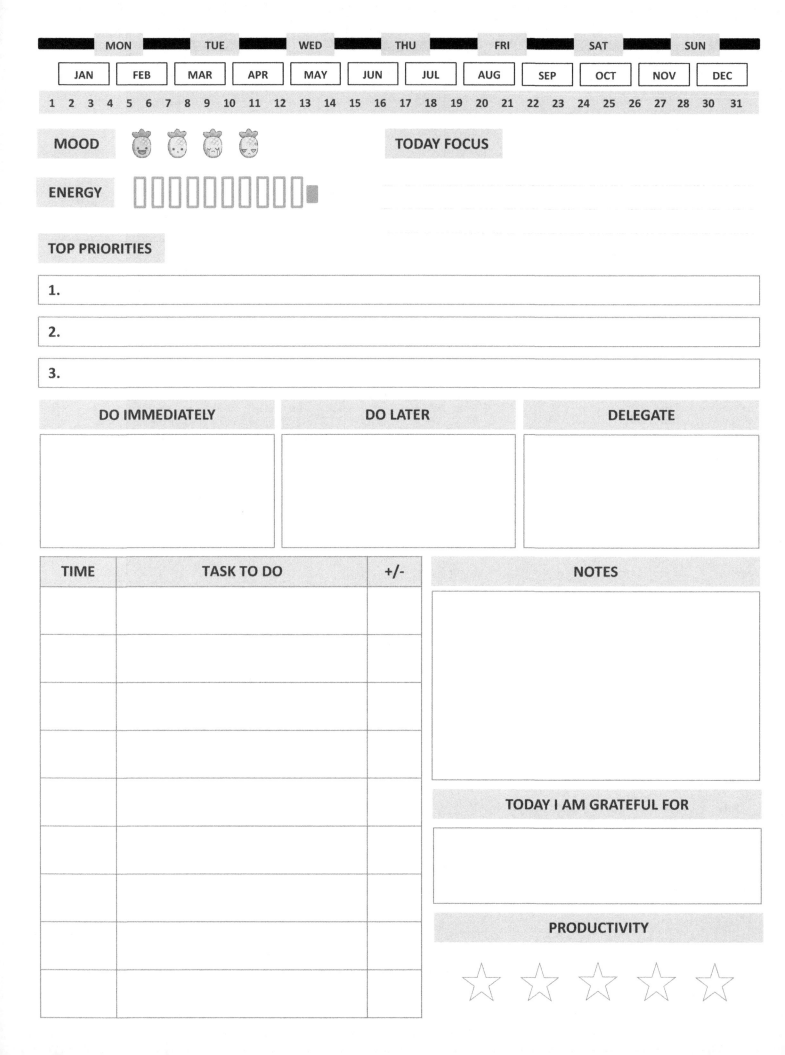

TODAY FOCUS

ENERGY

TOP PRIORITIES

1.

2.

3.

DO IMMEDIATELY	DO LATER	DELEGATE

TIME	TASK TO DO	+/-

NOTES

TODAY I AM GRATEFUL FOR

PRODUCTIVITY

☆ ☆ ☆ ☆ ☆

MON	TUE	WED	THU	FRI	SAT	SUN

JAN	FEB	MAR	APR	MAY	JUN	JUL	AUG	SEP	OCT	NOV	DEC

1 2 3 4 5 6 7 8 9 10 11 12 13 14 15 16 17 18 19 20 21 22 23 24 25 26 27 28 30 31

MOOD

ENERGY

TODAY FOCUS

TOP PRIORITIES

1.

2.

3.

DO IMMEDIATELY	DO LATER	DELEGATE

TIME	TASK TO DO	+/-

NOTES

TODAY I AM GRATEFUL FOR

PRODUCTIVITY

☆ ☆ ☆ ☆ ☆

MON	TUE	WED	THU	FRI	SAT	SUN

JAN	FEB	MAR	APR	MAY	JUN	JUL	AUG	SEP	OCT	NOV	DEC

1 2 3 4 5 6 7 8 9 10 11 12 13 14 15 16 17 18 19 20 21 22 23 24 25 26 27 28 30 31

MOOD

TODAY FOCUS

ENERGY

TOP PRIORITIES

1.

2.

3.

DO IMMEDIATELY	DO LATER	DELEGATE

TIME	TASK TO DO	+/-	NOTES

TODAY I AM GRATEFUL FOR

PRODUCTIVITY

☆ ☆ ☆ ☆ ☆

| MON | TUE | WED | THU | FRI | SAT | SUN |

| JAN | FEB | MAR | APR | MAY | JUN | JUL | AUG | SEP | OCT | NOV | DEC |

1 2 3 4 5 6 7 8 9 10 11 12 13 14 15 16 17 18 19 20 21 22 23 24 25 26 27 28 30 31

MOOD

TODAY FOCUS

ENERGY

TOP PRIORITIES

1.

2.

3.

DO IMMEDIATELY	DO LATER	DELEGATE

TIME	TASK TO DO	+/-

NOTES

TODAY I AM GRATEFUL FOR

PRODUCTIVITY

☆ ☆ ☆ ☆ ☆

MON	TUE	WED	THU	FRI	SAT	SUN

JAN	FEB	MAR	APR	MAY	JUN	JUL	AUG	SEP	OCT	NOV	DEC

1 2 3 4 5 6 7 8 9 10 11 12 13 14 15 16 17 18 19 20 21 22 23 24 25 26 27 28 30 31

MOOD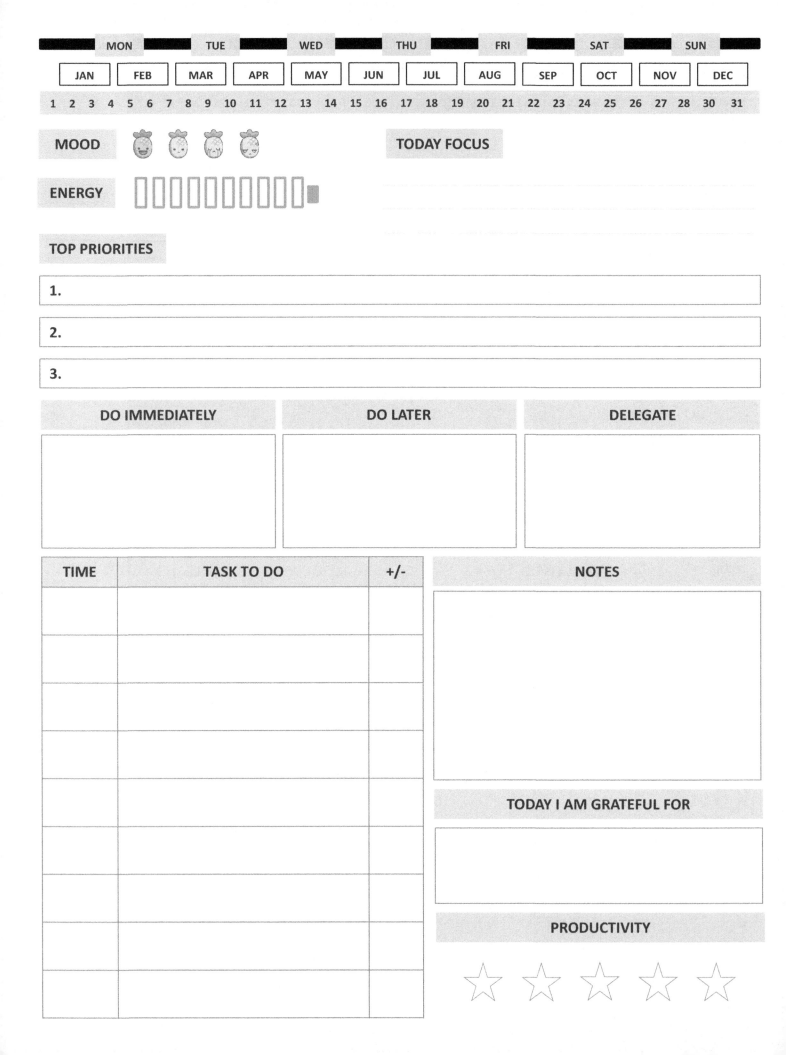

TODAY FOCUS

ENERGY

TOP PRIORITIES

1.

2.

3.

DO IMMEDIATELY	DO LATER	DELEGATE

TIME	TASK TO DO	+/-

NOTES

TODAY I AM GRATEFUL FOR

PRODUCTIVITY

☆ ☆ ☆ ☆ ☆

MON	TUE	WED	THU	FRI	SAT	SUN

JAN	FEB	MAR	APR	MAY	JUN	JUL	AUG	SEP	OCT	NOV	DEC

1 2 3 4 5 6 7 8 9 10 11 12 13 14 15 16 17 18 19 20 21 22 23 24 25 26 27 28 30 31

MOOD

ENERGY

TODAY FOCUS

TOP PRIORITIES

1.

2.

3.

DO IMMEDIATELY	DO LATER	DELEGATE

TIME	TASK TO DO	+/-

NOTES

TODAY I AM GRATEFUL FOR

PRODUCTIVITY

☆ ☆ ☆ ☆ ☆

| MON | TUE | WED | THU | FRI | SAT | SUN |

| JAN | FEB | MAR | APR | MAY | JUN | JUL | AUG | SEP | OCT | NOV | DEC |

1 2 3 4 5 6 7 8 9 10 11 12 13 14 15 16 17 18 19 20 21 22 23 24 25 26 27 28 30 31

MOOD

TODAY FOCUS

ENERGY

TOP PRIORITIES

1.

2.

3.

DO IMMEDIATELY	DO LATER	DELEGATE

TIME	TASK TO DO	+/-

NOTES

TODAY I AM GRATEFUL FOR

PRODUCTIVITY

☆ ☆ ☆ ☆ ☆

| WEEK 1 | | WEEK 2 | | WEEK 3 | | WEEK 4 |

| JAN | FEB | MAR | APR | MAY | JUN | JUL | AUG | SEP | OCT | NOV | DEC |

WEEK FOCUS

THIS WEEK PRIORITIES

1.

2.

3.

MON	
TUE	
WED	
THU	
FRI	
SAT	
SUN	

NOTES

INSPIRATION

| MON | TUE | WED | THU | FRI | SAT | SUN |

| JAN | FEB | MAR | APR | MAY | JUN | JUL | AUG | SEP | OCT | NOV | DEC |

1 2 3 4 5 6 7 8 9 10 11 12 13 14 15 16 17 18 19 20 21 22 23 24 25 26 27 28 30 31

MOOD

TODAY FOCUS

ENERGY

TOP PRIORITIES

1.

2.

3.

DO IMMEDIATELY	DO LATER	DELEGATE

TIME	TASK TO DO	+/-

NOTES

TODAY I AM GRATEFUL FOR

PRODUCTIVITY

☆ ☆ ☆ ☆ ☆

| MON | TUE | WED | THU | FRI | SAT | SUN |

| JAN | FEB | MAR | APR | MAY | JUN | JUL | AUG | SEP | OCT | NOV | DEC |

1 2 3 4 5 6 7 8 9 10 11 12 13 14 15 16 17 18 19 20 21 22 23 24 25 26 27 28 30 31

MOOD

ENERGY

TODAY FOCUS

TOP PRIORITIES

1.

2.

3.

DO IMMEDIATELY	DO LATER	DELEGATE

TIME	TASK TO DO	+/-

NOTES

TODAY I AM GRATEFUL FOR

PRODUCTIVITY

☆ ☆ ☆ ☆ ☆

MON	TUE	WED	THU	FRI	SAT	SUN

JAN	FEB	MAR	APR	MAY	JUN	JUL	AUG	SEP	OCT	NOV	DEC

1 2 3 4 5 6 7 8 9 10 11 12 13 14 15 16 17 18 19 20 21 22 23 24 25 26 27 28 30 31

MOOD

ENERGY

TODAY FOCUS

TOP PRIORITIES

1.

2.

3.

DO IMMEDIATELY	DO LATER	DELEGATE

TIME	TASK TO DO	+/-

NOTES

TODAY I AM GRATEFUL FOR

PRODUCTIVITY

☆ ☆ ☆ ☆ ☆

MON	TUE	WED	THU	FRI	SAT	SUN

JAN	FEB	MAR	APR	MAY	JUN	JUL	AUG	SEP	OCT	NOV	DEC

1 2 3 4 5 6 7 8 9 10 11 12 13 14 15 16 17 18 19 20 21 22 23 24 25 26 27 28 30 31

MOOD

TODAY FOCUS

ENERGY

TOP PRIORITIES

1.

2.

3.

DO IMMEDIATELY	DO LATER	DELEGATE

TIME	TASK TO DO	+/-

NOTES

TODAY I AM GRATEFUL FOR

PRODUCTIVITY

☆ ☆ ☆ ☆ ☆

| MON | TUE | WED | THU | FRI | SAT | SUN |

| JAN | FEB | MAR | APR | MAY | JUN | JUL | AUG | SEP | OCT | NOV | DEC |

1 2 3 4 5 6 7 8 9 10 11 12 13 14 15 16 17 18 19 20 21 22 23 24 25 26 27 28 30 31

MOOD

TODAY FOCUS

ENERGY

TOP PRIORITIES

1.

2.

3.

DO IMMEDIATELY	DO LATER	DELEGATE

TIME	TASK TO DO	+/-

NOTES

TODAY I AM GRATEFUL FOR

PRODUCTIVITY

☆ ☆ ☆ ☆ ☆

MON	TUE	WED	THU	FRI	SAT	SUN

JAN	FEB	MAR	APR	MAY	JUN	JUL	AUG	SEP	OCT	NOV	DEC

1 2 3 4 5 6 7 8 9 10 11 12 13 14 15 16 17 18 19 20 21 22 23 24 25 26 27 28 30 31

MOOD

TODAY FOCUS

ENERGY

TOP PRIORITIES

1.

2.

3.

DO IMMEDIATELY	DO LATER	DELEGATE

TIME	TASK TO DO	+/-

NOTES

TODAY I AM GRATEFUL FOR

PRODUCTIVITY

☆ ☆ ☆ ☆ ☆

| MON | TUE | WED | THU | FRI | SAT | SUN |

| JAN | FEB | MAR | APR | MAY | JUN | JUL | AUG | SEP | OCT | NOV | DEC |

1 2 3 4 5 6 7 8 9 10 11 12 13 14 15 16 17 18 19 20 21 22 23 24 25 26 27 28 29 30 31

MOOD

ENERGY

TODAY FOCUS

TOP PRIORITIES

1.

2.

3.

DO IMMEDIATELY	DO LATER	DELEGATE

TIME	TASK TO DO	+/-

NOTES

TODAY I AM GRATEFUL FOR

PRODUCTIVITY

☆ ☆ ☆ ☆ ☆

Made in the USA
Middletown, DE
15 June 2022